급 관찰추천제 대비

# 「창의적 문제해결력」
# 모의고사

제한시간 : 90분

초등학교　　　　학년　　　반　　　번

성 명　　　　　　　　　지원 부문

- 시험 시간은 총 90분입니다.
- 문제가 1번부터 14번까지 있는지 확인하시오.
- 문제지에 학교, 학년, 반, 번, 성명, 지원 부문을 정확히 기입하시오.
- 문항에 따라 배점이 다릅니다. 각 물음의 끝에 표시된 배점을 참고하시오.
- 필기구 외 계산기 등을 일체 사용할 수 없습니다.

# 창의적 문제해결력

**01** 주어진 도형 (가)와 (나)를 최소한으로 사용하여 사각형 판을 빈틈없이 덮는 방법을 2 가지 그리시오. [6점]

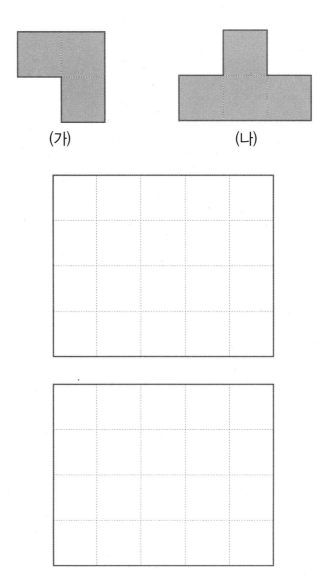

(가)      (나)

**02** 다음은 크기가 같은 정사각형 3개를 붙여서 만든 도형이다.

아래 모눈종이에 크기가 같은 정사각형 5개를 붙여서 만들 수 있는 도형을 모두 그리시오. (단, 변끼리 붙여서 만들어야 하며, 붙일 때 한 변에 남는 부분이 있으면 안 된다. 또한 돌리거나 뒤집어서 같은 모양은 한 가지로 생각한다.) [6점]

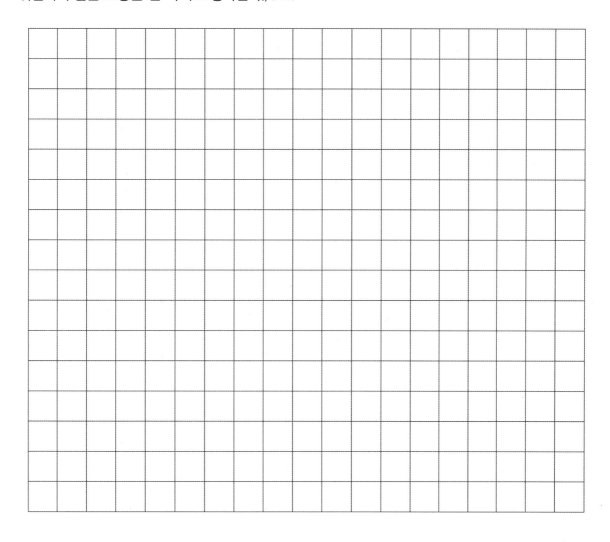

# 창의적 문제해결력

**03** 다음 〈가〉, 〈나〉, 〈다〉에 들어갈 내용을 구하시오. (단, 사용된 수는 1~30까지의 수이다.)

[6점]

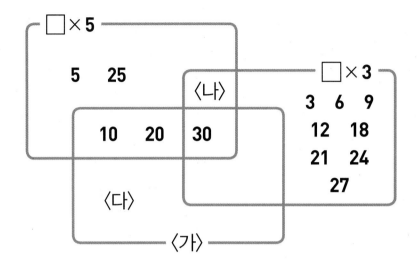

〈가〉

_____

_____

〈나〉

_____

_____

〈다〉

_____

_____

_____

**04** 헨젤과 그레텔 중 한 명이 감옥에 갇혀 남은 한 명이 식량을 가져다주어야 한다. 다음 감옥 비밀번호의 규칙을 서술하시오. [6점]

$$161224 - 16 - 24 - 48$$

# 창의적 문제해결력

**05** 보통 1+1=2이다. 1+1이 2가 아닌 경우를 5가지 서술하시오. [7점]

> **1 + 1 = ?**

① _____

_____

② _____

_____

③ _____

_____

④ _____

_____

⑤ _____

_____

_____

_____

_____

_____

**06** 그림과 같이 꿀벌은 정육각형 모양으로 집을 만든다. 꿀벌이 정육각형 모양으로 집을 짓는 이유를 다른 도형과 비교하여 4가지 서술하시오. [7점]

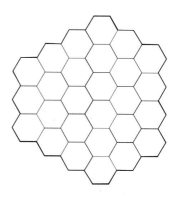

1

2

3

4

**07** 냉장고, 컴퓨터, 에어컨 등은 전기를 이용하여 작동하는 가전제품이다. 가전제품은 전기를 쓴 만큼 전기요금을 내는데 전기요금을 계산할 때 누진세가 적용된다. 누진세란 사용한 전력량을 구간별로 나누어 다른 사용 요금으로 계산하는 것이다. 이는 전기 사용량이 많으면 순차적으로 전기요금을 높여 에너지 절약을 유도하기 위한 것이다. 예를 들어 한 달 동안 사용한 전력량이 $250\,kWh$라면 $200+50=250(kWh)$로 계산한다. (단, kWh(킬로와트시)는 전력 사용량을 나타내는 단위이다.)

| 기본요금(원) | | 전력량 요금(원/kWh) | |
|---|---|---|---|
| 200 kWh 이하 사용 | 910 | 처음 200 kWh까지 | 94 |
| 201~400 kWh 사용 | 1,600 | 다음 200 kWh까지 | 188 |
| 400 kWh 초과 사용 | 7,300 | 400 kWh 초과 | 280 |

(1) 전기요금은 기본요금과 전력량 요금의 합으로 구한다. 위 표는 전력 사용량에 따른 전기요금 산출 방법을 나타낸 것이다. 지난달 가연이네 전력 사용량이 $235\,kWh$라면 전기요금은 얼마인지 구하고 풀이 과정을 서술하시오. [6점]

**(2)** 학교에서 사용하는 전기는 요금을 비교적 저렴하게 부과하기 위하여 누진세 없이 계절별로 다른 요금을 적용한다. 어느 초등학교에서 10월에 사용한 전력량이 587 kWh 였다면 10월의 전기요금을 구하고 풀이 과정을 서술하시오. [3점]

| 기본요금(원) | 전력량 요금(원/kWh) | |
|---|---|---|
| | 여름철(6~8월) | 97 |
| 5,230 | 봄가을(3~5, 9~10월) | 60 |
| | 겨울철(11~2월) | 84 |

**(3)** 여름이 되면 냉방기구 사용 증가로 전력 사용량이 매우 증가한다. 가연이네 7월 전기 사용량은 5월의 2배였지만 전기요금은 5월의 3배가 되었다. 여름철 실내 적정온도를 유지하며 생활하면서 전기요금의 부담을 줄일 수 있는 방법을 서술하시오. [3점]

| 구분 | 5월 | 7월 |
|---|---|---|
| 전력 사용량(kWh) | 300 | 510 |
| 전기요금(원) | 39,200 | 119,700 |

# 창의적 문제해결력

**08** 기체는 생활 속에서 다양하게 이용되고 있다. 조빙, 워터워크, 열기구 등이 기체를 이용한다.

▲ 조빙

▲ 워터워크

▲ 열기구

이외에 생활 속에서 기체가 이용되는 경우를 5가지 서술하시오. [6점]

① _____

② _____

③ _____

④ _____

⑤ _____

**09** 다음은 자석의 성질을 이용한 물체이다.

▲ 자석 필통

▲ 고리 자석 탑

각 물체가 이용한 자석의 성질과 그 성질을 이용한 또 다른 예를 각각 1가지씩 서술하시오. [6점]

자석 필통

---

---

---

---

고리 자석 탑

---

---

---

---

---

# 창의적 문제해결력

**10** 다음과 같이 모빌이 한쪽으로 기울어져 있다.

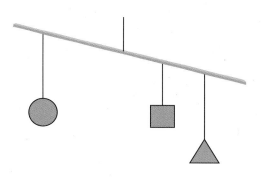

기울어진 모빌을 수평이 되도록 만드는 방법을 3가지 서술하시오. (단, 막대에 연결된 줄은 모두 옮길 수 있다.) [6점]

1

2

3

**11** 다음과 같이 장치한 후 화단 흙과 운동장 흙의 물 빠짐을 실험하였다.

> [실험 과정]
> ㉠ 종이컵 두 개에 같은 크기의 구멍을 같은 개수로 뚫는다.
> ㉡ 같은 양의 화단 흙과 운동장 흙을 ㉠의 종이컵에 각각 넣고 스탠드 클램프에 설치한다.
> ㉢ 각 종이컵 아래에 비커를 놓고, 같은 양의 물을 부어서 빠져나오는 시간과 양을 측정한다.

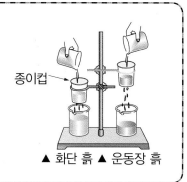

종이컵

▲ 화단 흙 ▲ 운동장 흙

위 실험의 결과와 그렇게 생각한 이유를 쓰고, 이러한 결과가 식물에 미치는 영향을 서술하시오. [6점]

결과

이유

식물에 미치는 영향

# 창의적 문제해결력

**12** 다음 그림과 같이 크기, 무게, 모양이 같은 두 막대가 있다. 하나는 막대자석이고 다른 하나는 철 막대이다.

<table>
<tr><td></td><td></td></tr>
<tr><td>(가)</td><td>(나)</td></tr>
</table>

다른 자석을 사용하지 않고 두 막대를 구별할 수 있는 방법을 5가지 서술하시오. (단, 자성이 없는 물체는 사용해도 되고, 그림과 함께 설명해도 된다.) [7점]

1 

2 

3 

4 

5

**13** [보기]와 같이 우리 주변에서 같은 물체이지만 다른 물질로 만든 예를 5가지 서술하시오.

[7점]

[보기]
• 신발 : 천, 고무, 가죽, 볏짚 등

① _____

_____

② _____

_____

③ _____

_____

④ _____

_____

⑤ _____

_____

_____

_____

**14** 약 1억 5천만 년 전에 일어난 지구 온난화 현상은 거대한 초식공룡들이 배출한 엄청난 양의 방귀와 트림이 주요인일 가능성이 있다. 물음에 답하시오.

**[기사]**

영국 과학자들은 소의 소화 기관에서 배출되는 가스의 양을 근거로 브론토사우루스를 포함한 용각류(龍脚類, 초식공룡의 총칭)들이 배출했을 가스의 양을 계산한 결과 연간 5억 2천만 톤이라는 수치가 나왔으며 가스 성분 중 메테인은 온난화의 주요인이 됐을 것이라고 발표했다. 연구진은 지금보다 기온이 최고 10 ℃나 높고 습도도 높았던 중생대(약 2억 4천만~6천 500만 년 전)의 온난화 현상을 설명하는데 공룡의 역할을 빼놓을 수 없다고 지적했다.
약 1억 5천만 년 전 지구를 지배했던 공룡들, 그중에서도 어마어마한 몸집과 유난히 긴 목을 갖고 있던 용각류는 초식성으로, 장내 미생물의 도움을 받아 먹이를 소화했다.

**(1)** 연구진은 '이번 연구는 지구 기후에 미생물과 메테인이 얼마나 중요한 역할을 하는지 상기시켜주는 것'이라고 강조했다. 위 기사를 참고하여 미생물과 메테인이 중생대 지구 기후에 미친 영향을 서술하시오. [4점]

**(2)** 오늘날 지구상의 초식동물들이 배출하는 가스의 양은 연간 5천만~1억 톤이다. 초식동물이 방귀와 트림으로 배출하는 메테인이 온난화 현상을 일으키지 못하게 할 수 있는 아이디어를 고안하여 2가지 서술하시오. (그림을 그려서 설명해도 좋다.) [8점]

② 아이디어

「창의적 문제해결력」 모의고사

1회

# 「창의적 문제해결력」
# 모의고사

**2회**

제한시간 : **90분**

초등학교 　　　 학년 　　 반 　　 번

성 명 ◖　　　　　　　　　　지원 부문 ◖

- ● 시험 시간은 총 90분입니다.
- ● 문제가 1번부터 14번까지 있는지 확인하시오.
- ● 문제지에 학교, 학년, 반, 번, 성명, 지원 부문을 정확히 기입하시오.
- ● 문항에 따라 배점이 다릅니다. 각 물음의 끝에 표시된 배점을 참고하시오.
- ● 필기구 외 계산기 등을 일체 사용할 수 없습니다.

# 창의적 문제해결력

**01** 삼각형 안과 밖의 수는 일정한 규칙으로 이루어져 있다. 그 규칙을 쓰고, 아래 삼각형에 같은 규칙이 되도록 빈칸에 1~6까지의 수를 한 번씩 써넣으시오. [6점]

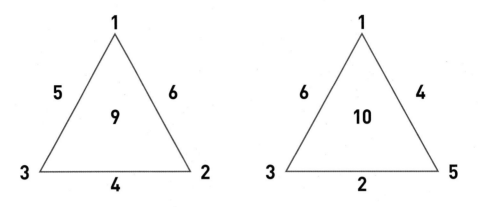

> 규칙

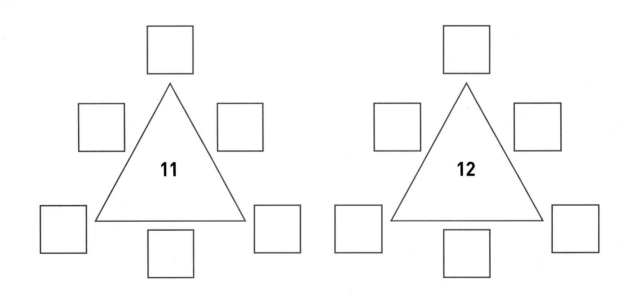

**02** 6명씩 앉을 수 있는 의자에 빈자리 없이 학생들을 앉혔더니 자리가 2개 남았고 7명씩 앉을 수 있는 의자에 빈자리 없이 학생들을 앉혔더니 자리가 4개 남았다. 학생 수는 몇 명인지 구하고 풀이 과정을 서술하시오. (단, 학생 수는 30명보다 많고 60명보다 적다.) [6점]

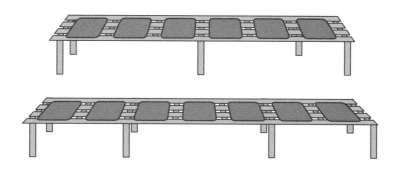

**03** 주연이는 생일을 맞이하여 가족에게 축하 카드를 받았다. 카드에 있는 '생일축하해'라는 각 글자는 파란색 → 빨간색 → 노란색 순서대로 불이 켜지며, 노란색 이후에는 다시 파란색으로 색깔이 변한다. 색깔마다 불이 켜져 있는 시간이 다른데 파란색은 3분, 빨간색은 2분, 노란색은 1분 동안 불이 켜진 후 색깔이 변한다. 카드 전원 버튼을 눌렀을 때 다음과 같이 불이 켜졌다면, 5분이 되었을 때 각 글자가 나타내는 색을 ( ) 안에 쓰시오. [6점]

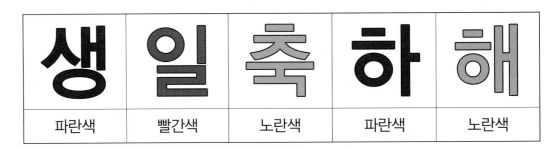

| 파란색 | 빨간색 | 노란색 | 파란색 | 노란색 |
|---|---|---|---|---|

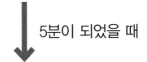

5분이 되었을 때

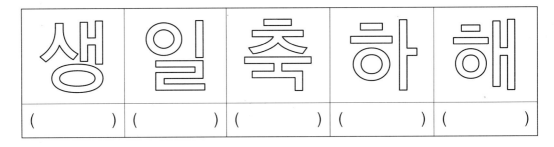

| ( ) | ( ) | ( ) | ( ) | ( ) |
|---|---|---|---|---|

**04** 사용한 지 오래되어 1을 제외한 다른 눈이 잘 보이지 않는 주사위가 있다. 이 주사위는 마주 보는 면의 눈을 더한 값이 7이다. 화살표 방향으로 주사위를 한 칸씩 굴릴 때 주사위 눈 1이 만나는 바닥의 숫자를 모두 합하면 얼마인지 구하고 풀이 과정을 서술하시오.

[6점]

|  |  |  |  |  |
|---|---|---|---|---|
| • | → 1 | → 2 | → 3 | → 4 |
|  |  |  |  | ↓ 5 |
|  |  |  |  | ↓ 6 |
|  |  |  |  | ↓ 7 |
| 12 | ← 11 | ← 10 | ← 9 | ← 8 |

**05** 한결이네 반 학생 30명을 A, B, C 세 개의 모둠으로 나누어 다 같이 5 km 단축 마라톤 경기를 하였다. 결과가 다음 표와 같을 때 세 모둠의 순위를 결정하는 적절한 방법을 4가지 서술하시오. [7점]

| 순위 | 1 | 2 | 3 | 4 | 5 | 6 | 7 | 8 | 9 | 10 | 11 | 12 | 13 | 14 | 15 |
|------|---|---|---|---|---|---|---|---|---|----|----|----|----|----|----|
| 모둠 | A | B | A | C | B | B | C | A | C | C | C | B | A | A | B |
| 순위 | 16 | 17 | 18 | 19 | 20 | 21 | 22 | 23 | 24 | 25 | 26 | 27 | 28 | 29 | 30 |
| 모둠 | B | C | A | C | B | C | B | B | A | C | A | A | A | C | B |

① _____

② _____

③ _____

④ _____

**06** 다음과 같은 굽은 선의 길이를 측정할 수 있는 방법을 3가지 서술하시오. [7점]

① 

② 

③

# 창의적 문제해결력

**07** 다음 글을 읽고, 물음에 답하시오.

큐브 퍼즐은 보통 작은 여러 개의 정육면체 모양의 입체도형이 모여 만들어진 하나의 큰 정육면체 모양이다. 퍼즐을 맞추는 것은 작은 정육면체를 돌려 여러 가지 모양과 색깔을 맞추는 것을 말한다. 가로, 세로, 높이가 3줄로 이루어진 루빅 큐브는 가장 쉽게 볼 수 있는 큐브 퍼즐이다. 큐브 퍼즐은 1974년 헝가리의 건축학 교수였던 루빅(Emo Rubik)이 개발하여 처음 판매되었다. 1970년대와 1980년대에 우리나라는 물론 전 세계적으로 큰 인기를 끌었으며, 지금도 많은 사람이 모양을 찾아내고 맞추는 방법을 연구하고 있다.

**(1)** 정육면체는 모든 면이 같은 크기와 모양의 정사각형 6개로 둘러싸인 입체도형이다. 현석이는 종이를 접어 정육면체를 만들기 위해 다음과 같이 전개도를 그리는 중이다. 부족한 1개의 정사각형을 그릴 수 있는 곳을 모두 그려 전개도를 완성하시오. [6점]

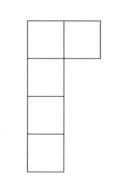

▲ 현석이가 그린 전개도

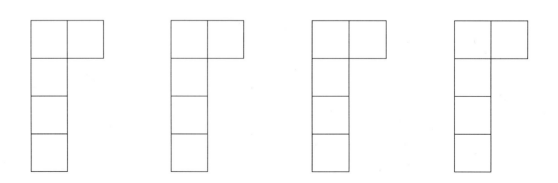

**(2)** 그림과 같은 큐브 퍼즐의 겉면에 페인트를 칠했을 때, 3개의 면이 색칠되는 작은 정육면체의 개수를 구하시오. [3점]

_____

_____

_____

_____

**(3)** 우리 주변에서 큐브 퍼즐과 같은 입체도형 모양의 물건을 찾고, 그렇게 만든 이유를 서술하시오. [3점]

_____

_____

_____

_____

_____

_____

_____

# 창의적 문제해결력

**08** 다음은 돌고래와 상어의 모습이다.

▲ 돌고래

▲ 상어

두 동물의 공통점과 차이점을 각각 3가지씩 서술하시오. [6점]

**공통점**

1

2

3

**차이점**

1

2

3

# 모의고사 2회

**09** 소리는 공기와 같은 기체, 물과 같은 액체, 딱딱한 금속이나 나무 등과 같은 고체를 통해서 전달된다. 다음 표는 여러 가지 물질에서 소리가 전달되는 빠르기를 나타낸 것이다. 다음 표를 바탕으로 알 수 있는 사실을 5가지 서술하시오. (단, 부피가 같을 때 이산화 탄소는 공기보다 무겁고 바닷물은 물보다 무겁다.) [6점]

| 소리를 전달하는 물질 | 이산화 탄소 (20 ℃) | 공기 (0 ℃) | 공기 (20 ℃) | 물 (0 ℃) | 물 (20 ℃) | 바닷물 (20 ℃) | 구리 (20 ℃) |
|---|---|---|---|---|---|---|---|
| 1초 동안 전달되는 거리(m) | 258 | 331 | 343 | 1,402 | 1,461 | 1,490 | 3,560 |

① _____

② _____

③ _____

④ _____

⑤ _____

_____

_____

# 창의적 문제해결력

**10** 서윤이는 현미가 발아하는 조건을 알아보기 위해 다음과 같은 방법으로 실험하였다.

| 실험군 | 실험 방법 |
|---|---|
| 가 | 적당한 물을 적신 솜을 깔고 현미를 올린 후 냉장고에 넣어둔다. |
| 나 | 적당한 물을 적신 솜을 깔고 현미를 올린 후 햇빛이 들지 않는 상온에 둔다. |
| 다 | 물을 묻히지 않은 솜을 깔고 현미를 올린 후 햇빛이 잘 드는 상온에 둔다. |
| 라 | 현미가 잠길 수 있도록 물을 넣고 햇빛이 잘 드는 상온에 둔다. |

서윤이가 설계한 실험군 중 싹이 트지 않은 현미가 있었다. 어떤 실험군인지 모두 고르고, 그 이유를 서술하시오. [6점]

싹이 트지 않은 실험군

이유

**11** 얼음의 모양이 얼음이 녹는 시간에 영향을 주는지 알아보기 위해 다음과 같이 5가지 실험을 하였다.

[실험 1]
무게는 똑같으나, 모양이 서로 다른 5개의 얼음을 준비한다. 5개의 똑같은 그릇 속에 각각 준비한 얼음을 1개씩 넣고 그릇의 온도를 다르게 한 다음, 얼음이 녹는 시간을 측정한다.

[실험 2]
모양과 무게가 서로 다른 5개의 얼음을 준비한다. 5개의 똑같은 그릇 속에 각각 준비한 얼음을 1개씩 넣고 그릇의 온도를 같게 한 다음, 얼음이 녹는 시간을 측정한다.

[실험 3]
모양은 똑같으나 무게가 서로 다른 5개의 얼음을 준비한다. 5개의 똑같은 그릇 속에 각각 준비한 얼음을 1개씩 넣고 그릇의 온도를 같게 한 다음, 얼음이 녹는 시간을 측정한다.

[실험 4]
모양은 똑같으나 무게가 서로 다른 5개의 얼음을 준비한다. 5개의 똑같은 그릇 속에 각각 준비한 얼음을 1개씩 넣고 그릇의 온도를 다르게 한 다음, 얼음이 녹는 시간을 측정한다.

[실험 5]
무게는 똑같으나 모양이 서로 다른 5개의 얼음을 준비한다. 5개의 똑같은 그릇 속에 각각 준비한 얼음을 1개씩 넣고 그릇의 온도를 같게 한 다음, 얼음이 녹는 시간을 측정한다.

이 중 실험 목적에 맞는 실험을 찾고, 그렇게 생각한 이유를 서술하시오. [6점]

실험 목적에 맞는 실험

이유

**12** 다음을 보고 물음에 답하시오.

위에 제시된 사물 중 2가지 이상을 결합하여 새로운 사물 5가지를 만들고, 기능을 서술하시오. [7점]

| 새로운 사물 | 기능 |
|---|---|
|  |  |
|  |  |
|  |  |
|  |  |
|  |  |

**13** 물은 색이 투명하고 흐르는 성질이 있으며, 담는 그릇에 따라 모양이 변한다. 물의 온도를 0 ℃ 이하로 낮추면 상태가 변해 단단한 얼음이 된다. 만약 물이 얼지 않는다면 발생할 수 있는 현상을 10가지 서술하시오. [7점]

1 _____

2 _____

3 _____

4 _____

5 _____

6 _____

7 _____

8 _____

9 _____

10 _____

_____

_____

_____

**14** 2008년은 수영선수들에게 자랑스러운 해였다. 2008년 베이징 올림픽을 포함해 1년 동안 무려 105번의 세계신기록 경신이 있었기 때문이다. 물음에 답하시오.

[기 사]

2008년에 세계신기록이 양산된 것은 특별히 제작된 수영복 때문이었다. 세계신기록을 세운 105명의 수영선수 중 절반이 훨씬 넘는 79명이 특별히 제작한 수영복을 입고 있었다. 그중에서도 마이클 펠프스는 괴력을 발휘했다. 2008년 베이징 올림픽에서 무려 7개의 세계신기록을 세우면서 8개의 금메달을 받았다. 올림픽 사상 최다관왕 기록까지 세우며 '수영황제'란 칭호를 얻었다. 베이징 올림픽이 끝나자 미국 시사주간지 '타임'은 마이클 펠프스가 입었던 수영복에 주목했다. 그리고 그 수영복을 '올해의 발명품 50선' 중의 하나에 포함시켰다. 영국의 스피도(Speedo)가 제작한 첨단 수영복 '레이저 레이서(LZR Racer)' 였다.

(1) 스피도는 이 수영복을 만들기 위해 물의 저항이 가장 작고 부력을 크게 하는 소재를 개발했다. 오른쪽 사진과 같이 상어 비늘은 수많은 삼각형의 미세 돌기로 이루어져 있다. 이것을 본떠 수영복 표면을 삼각형 모양의 미세 홈으로 처리했다. 매끄러운 수영복 표면보다 울퉁불퉁한 미세 돌기로 처리한 수영복이 수영 기록 향상에 도움이 되는 이유를 서술하시오. [4점]

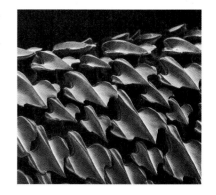

(2) 지구상의 생물이 가지고 있는 특성을 연구 및 모방하여 공학, 재료과학, 의학 등에 응용하려는 학문을 생체 모방 공학이라고 한다. 우리 주변에서 첨단 수영복과 같이 생체 모방을 응용한 예를 원리와 함께 4가지 서술하시오. [8점]

1

2

3

4

「창의적 문제해결력」 모의고사  2회

# 「창의적 문제해결력」
# 모의고사

**3**회

제한시간 : **90**분

초등학교　　　　학년　　　반　　　번

성 명 | 　　　　　　　　　　지원 부문 |

- 시험 시간은 총 90분입니다.
- 문제가 1번부터 14번까지 있는지 확인하시오.
- 문제지에 학교, 학년, 반, 번, 성명, 지원 부문을 정확히 기입하시오.
- 문항에 따라 배점이 다릅니다. 각 물음의 끝에 표시된 배점을 참고하시오.
- 필기구 외 계산기 등을 일체 사용할 수 없습니다.

# 창의적 문제해결력

**01** [보기]는 두 자리 수 47이 한 자리 수가 될 때까지, 각 자리 숫자를 계속 곱한 것이다. [보기]와 같이 계산할 때, 계산 결과가 8인 두 자리 수를 모두 구하시오. [6점]

[보 기]

$47 \Rightarrow 4 \times 7 = 28 \Rightarrow 2 \times 8 = 16 \Rightarrow 1 \times 6 = 6$

**02** 화성에서는 1년이 687일이고, 1달이 57~58일이다. 2201년 지구와 화성이 같은 날 설 날을 맞았다. 이를 기념해 2201년 1월 1일 지구에서 화성으로 향하는 우주선이 출발하 였다. 물음에 답하시오. (단, 화성과 지구에서 1~7월까지는 홀수달이 짝수달보다 날짜가 많고, 8~12월까지는 짝수달이 홀수달보다 날짜가 많으며 2월은 가장 날짜가 작다.) [6점]

**(1)** 우주선이 화성까지 가는 데 212일이 걸렸다. 우주선이 화성에 도착한 날짜를 화성 날짜로 구하시오.

**(2)** 우주선이 화성에서 30일을 보낸 후 다시 지구로 돌아오는 데 212일이 걸렸다. 우 주선이 지구에 도착한 날짜를 지구 날짜로 구하시오.

# 창의적 문제해결력

**03**  0~9까지의 수를 이용하여 (두 자리 수)÷(두 자리 수) 나눗셈식을 다음 조건에 맞게 20개 만드시오. [6점]

> [조건]
> ① 한 나눗셈식에서 같은 수를 중복하여 사용할 수 없다.
> ② 나머지가 없는 나눗셈식을 만든다.
> ※ 주의 : 단, 틀리거나 중복된 나눗셈식을 만들 경우, 각 식당 1점씩 감점된다.

| 나눗셈식 | 나눗셈식 |
|---|---|
| ÷ = | ÷ = |
| ÷ = | ÷ = |
| ÷ = | ÷ = |
| ÷ = | ÷ = |
| ÷ = | ÷ = |
| ÷ = | ÷ = |
| ÷ = | ÷ = |
| ÷ = | ÷ = |
| ÷ = | ÷ = |
| ÷ = | ÷ = |

04 다음 글을 읽고 과일가게 주인이 위조지폐로 인해 손해 본 총금액을 구하고 그렇게 생각한 이유를 서술하시오. [6점]

어떤 사람이 과일가게에 가서 8,000원짜리 수박을 사고 50,000원짜리 지폐를 주었다. 잔돈이 부족한 과일가게 주인은 옆에 있는 식당에서 돈을 바꾸어 잔돈 42,000원을 거슬러 주었다. 그런데 그 사람이 사라진 후 식당 주인으로부터 50,000원짜리 지폐가 위조지폐라는 것을 알게 되었다. 그러나 그 사람이 이미 사라진 뒤라 과일가게 주인은 식당 주인에게 50,000원을 변상하였다.

# 창의적 문제해결력

**05** 수열은 일정한 규칙을 가진 수들의 나열이다. 다음은 앞의 두 수의 합이 다음 수가 되는 규칙을 가진 피보나치 수열이다. 피보나치 수열과 같이 자신만의 독특한 수열을 2개 만들고, 규칙을 설명하시오. [7점]

> 1 1 2 3 5 8 13 21 ...

**1**

**2**

06 우리 주변에서 볼 수 있는 삼각형 모양을 7개 찾고 삼각형 모양인 이유를 서술하시오.

[7점]

1

2

3

4

5

6

7

# 창의적 문제해결력

**07** 다음 글을 읽고 물음에 답하시오.

[기사]

가위바위보는 우리 주위에서 가장 널리 하는 게임으로, 주먹을 가위 모양, 바위 모양, 보자기 모양으로 만들어 승부를 겨룬다. 보는 바위를, 바위는 가위를, 가위는 보를 이기는 단순한 규칙 때문에 남녀노소 누구나 쉽게 배울 수 있고 즐길 수 있다. 하지만 게임에 승리하고, 승률을 높이기 위해서는 통계, 상황 판단, 심리전, 기술(손놀림), 그리고 전략적 사고를 필요로 한다. 다시 말해 가위바위보는 단순하면서도 높은 전략과 다양한 기술을 필요로 하는 매우 매력적인 전략게임이다.

**(1)** 민규와 승아가 가위바위보를 한다. 두 사람이 가위바위보를 해서 나올 수 있는 서로 다른 경우는 모두 몇 가지인지 구하고 풀이 과정을 서술하시오. [6점]

(2) 민규네 조 8명의 학생이 가위바위보를 해서 조장을 정하려고 한다. 조원 모두와 한 번씩 가위바위보를 해서 이긴 횟수가 가장 많은 사람이 조장이 되기로 했다. 가위바위보를 모두 몇 번 해야 하는지 구하고 풀이 과정을 서술하시오. [3점]

(3) 가위바위보도 장기나 체스와 같이 기술과 심리전이 필요한 전략 게임이다. 가위바위보를 이기기 위한 자신만의 전략을 쓰고, 그 전략을 쓰는 이유를 논리적으로 설명하시오. [3점]

전략

이유

# 창의적 문제해결력

**08** 대현이는 각 병에 담긴 물, 알코올, 식용유의 부피를 비교하기 위해 다음과 같은 재료를 준비했다.

▲ 전자 저울          ▲ 눈금실린더          ▲ 삼각플라스크

대현이가 준비한 실험 재료 중 필요 없는 것을 모두 고르고, 그렇게 생각한 이유를 각각 서술하시오. [6점]

## 모의고사 3회

**09** 다음은 연준이가 동물을 두 그룹으로 분류한 것이다.

(가)                              (나)

위와 같이 두 그룹으로 분류할 수 있는 분류 기준을 10가지 쓰시오. [6점]

1 _____

2 _____

3 _____

4 _____

5 _____

6 _____

7 _____

8 _____

9 _____

10 _____

# 창의적 문제해결력

**10** 장미와 선인장의 가시는 식물의 일부분이 변해서 만들어진 것이다.

▲ 장미

▲ 선인장

장미와 선인장의 가시는 각각 식물의 어느 부분이 변해서 된 것인지 이유와 함께 서술하시오. [6점]

장미

_____

_____

_____

_____

선인장

_____

_____

_____

_____

_____

**11** 맷돌을 만드는 돌이 (1), (2)와 같은 특징을 가지게 된 원인을 암석의 생성 과정과 관련지어 설명하시오. [6점]

> 서윤이는 지난주에 가족과 함께 제주도에서 휴가를 보냈다. 여행 중에 들렀던 제주민속박물관에서 맷돌을 보았다. 맷돌을 자세히 살펴보니 표면에서 두 가지 특징을 찾을 수 있었다.
> (1) 알갱이의 크기가 매우 작다.
> (2) 표면에 크고 작은 구멍이 많이 뚫려 있다.

(1)

(2)

# 창의적 문제해결력

**12** 다음 자료를 보고 물음에 답하시오.

> 오스트리아 스카이다이버 펠릭스 바움가르트너가 지상 39 km에서 자유 낙하*에 성공해 가장 높은 곳에서 뛰어내린 사나이가 되었다. 에베레스트산보다 4배나 높고, 비행기 항로보다 3배나 높은 곳에서 뛰어내린 바움가르트너는 낙하한 지 몇 초 만에 시속 1,110 km에 도달했다.
>
> ※ 자유 낙하 : 처음 속력이 0인 상태로 지표면을 향해 떨어지는 물체의 운동

공기가 희박한 우주 공간 인근에서 사람이 자유 낙하할 때는 특수복을 입어야 한다. 특수복이 갖추어야 할 기능을 3가지 서술하시오. [7점]

**1**

**2**

**3**

**13** 아마존 정글은 전 세계 동식물의 절반인 200만 종 서식하는 생물의 보물 창고일 뿐만 아니라, 전 세계 삼림의 30 %, 전 세계 산소량의 20 %를 공급하여 지구의 산소 공장으로 불린다. 이러한 열대 우림은 지구의 오염된 공기를 정화하는 역할을 하고 있는데, 최근에 아마존강 근처의 개발, 목재의 채취와 환전, 농지 개발, 산불 등으로 인한 밀림의 파괴가 매우 심각하다. 밀림의 파괴로 식물이 지금처럼 지속해서 줄어들게 되면 어떤 변화가 생길지 5가지 서술하시오. [7점]

1

2

3

4

5

# 창의적 문제해결력

**14** 다음은 어린이 약이 대부분 액체로 되어 있어서 생길 수 있는 문제점에 대한 기사이다. 물음에 답하시오.

[기 사]

아이가 아프지 않고 건강하게 자라기를 바라는 마음은 모든 부모가 똑같다. 하지만 아이가 커가면서 크고 작은 건강상의 문제로 약을 먹일 수밖에 없을 때가 온다. 병원에서 처방전을 받아 약국에 가면 30 mL, 60 mL, 100 mL 등의 작은 병에 액체로 된 약을 받는다. 대부분 부모는 약의 양을 어림하여 아이에게 한 숟가락, 두 숟가락을 먹인다. 하지만 이러한 행동은 아이들의 건강에 좋지 않은 영향을 줄 수 있다.

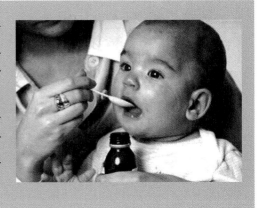

**(1)** 기사에서 제시하고 있는 문제점을 세제 사용량과 관련하여 서술하시오. [4점]

> [세제 사용량]
> 빨래를 할 때 빨래의 양에 따라 정해진 양의 세제를 사용하면 빨래를 깨끗하게 할 수 있고, 환경오염도 방지할 수 있다.

(2) 어린이 약이 액체로 되어 있어서 생길 수 있는 문제점을 해결할 수 있는 아이디어를 2가지 서술하시오. (단, 그림을 그려서 설명해도 좋다.) [8점]

①

②

「창의적 문제해결력」 모의고사

3회

# 「창의적 문제해결력」
# 모의고사

**4**회

제한시간 : **90분**

초등학교        학년        반        번

성 명                    지원 부문

- 시험 시간은 총 90분입니다.
- 문제가 1번부터 14번까지 있는지 확인하시오.
- 문제지에 학교, 학년, 반, 번, 성명, 지원 부문을 정확히 기입하시오.
- 문항에 따라 배점이 다릅니다. 각 물음의 끝에 표시된 배점을 참고하시오.
- 필기구 외 계산기 등을 일체 사용할 수 없습니다.

# 창의적 문제해결력

01 다음은 네모 칸에 5개의 수를 넣어 덧셈, 뺄셈, 곱셈을 이용하여 가운데에 있는 수를 만든 것이다.

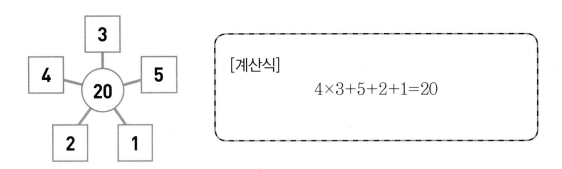

[계산식]

$$4 \times 3 + 5 + 2 + 1 = 20$$

아래 조건을 참고하여 가운데에 있는 수가 35가 되도록 칸을 채우고 계산식을 2가지 만드시오. [6점]

[조건]
① 네모 칸에는 1~9까지의 숫자만 적는다.
② 하나의 그림에 같은 숫자를 여러 번 적을 수 없다.
③ 곱셈을 사용할 경우 곱셈 계산을 가장 먼저 한다.

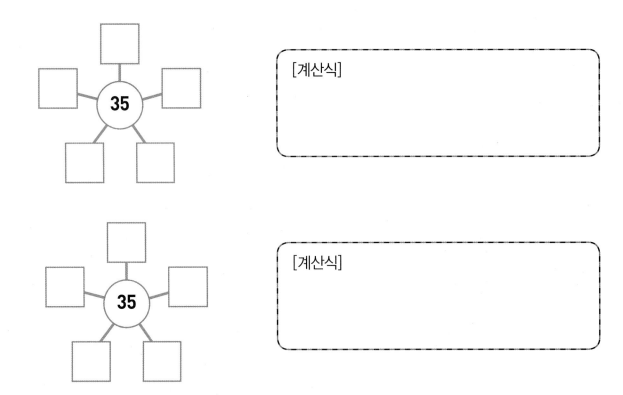

[계산식]

[계산식]

**02** 다음 그림과 같이 정사각형에 모양과 크기가 같은 직사각형 4개를 붙였다. 색칠된 직사각형의 가로와 세로의 길이 차와 정사각형 ㄱㄴㄷㄹ의 둘레를 각각 구하시오. [6점]

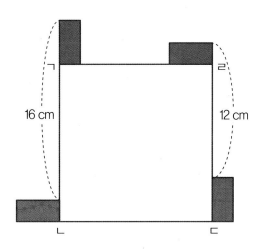

> 색칠된 직사각형의 가로와 세로의 길이 차

> 정사각형 ㄱㄴㄷㄹ의 둘레

# 창의적 문제해결력

**03** 하나의 큰 정사각형은 [보기]와 같이 작은 정사각형 조각으로 다양하게 나눌 수 있다. 조건에 맞게 정사각형을 나누고 숫자를 쓰시오. [6점]

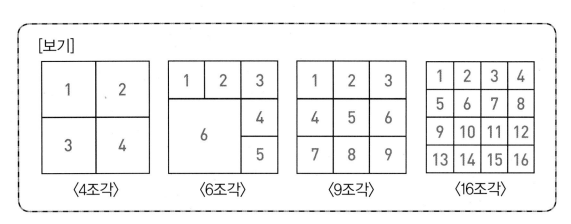

[보기]

〈4조각〉  〈6조각〉  〈9조각〉  〈16조각〉

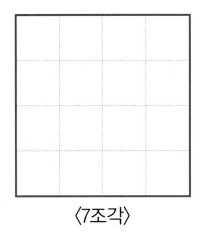

〈7조각〉

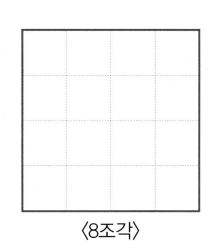

〈8조각〉

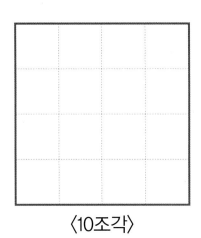

〈10조각〉

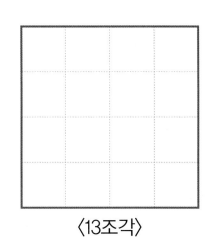

〈13조각〉

04 일정하게 물이 나오는 수도꼭지 (가)와 일정하게 물이 빠지는 수도꼭지 (나)가 있다. 꺾은선 그래프는 물이 담긴 물통에서 수도꼭지 (나)로 물을 계속 빼내면서 도중에 5분 동안 수도꼭지 (가)로 물을 넣었을 때 물통에 남은 물의 양의 변화를 나타낸 것이다. 수도꼭지 (가)에서 1분 동안 나오는 물의 양은 몇 L인지 구하고 풀이 과정을 서술하시오.

[6점]

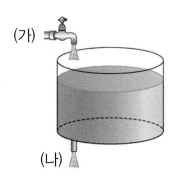

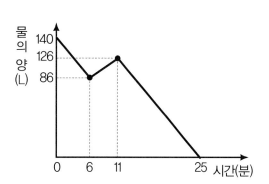

# 창의적 문제해결력

**05** A, B, C 세 명의 학생이 각각 다섯 개의 구슬을 던져서 구슬이 가장 작게 흩어진 사람이 이기는 게임을 하였다. 그 결과는 다음 그림과 같다.

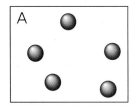 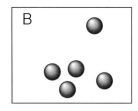 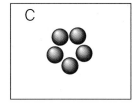

다음 [보기]와 같이 구슬이 흩어진 정도를 수치로 나타내는 방법을 5가지 서술하시오.

[7점]

> [보기]
> 이웃하는 공을 연결하여 만든 오각형의 넓이를 구한다.

**06** 다음은 축구 경기장을 위에서 바라본 모습이다. 축구 경기장에서 찾을 수 있는 수학적 원리를 3가지 서술하시오. [7점]

① _____

_____

② _____

_____

③ _____

_____

_____

_____

**07** 다음 신문 기사를 읽고, 물음에 답하시오.

[기 사]

일찍 찾아온 무더위에 음식의 부패를 확인하지 못하고 섭취해 식중독으로 고생하는 사람이 생겨나고 있다. 어패류 역시 예외가 아니다. 식품의약품안전처는 올해 여름은 예년보다 기온과 해수면 온도가 높을 것으로 예상되니 장염 비브리오 식중독을 예방하기 위해 어패류 등의 취급 및 섭취에 주의할 것을 당부했다.

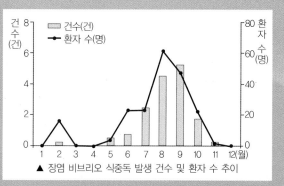

▲ 장염 비브리오 식중독 발생 건수 및 환자 수 추이

장염 비브리오는 바닷물에 존재하는 식중독균으로, 해수 온도가 15 ℃ 이상이 되면 증식을 시작하고, 20~37 ℃의 온도에서는 빠른 속도로 증식하여 3~4시간 만에 그 수가 100만 배로 증가한다.

**(1)** 장염 비브리오가 증식하는 방법은 그림과 같이 다 자란 성체가 반으로 나누어지며 2개의 새로운 개체가 되는 분열법이다. 4시간 만에 100만 배로 증가했다면 장염 비브리오는 4시간 동안 몇 회 분열한 것인지 구하고 풀이 과정을 서술하시오. [4점]

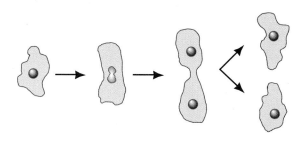

**(2)** 4시간 만에 100만 배로 증가한 장염 비브리오가 1회 분열하는 데 걸린 시간을 구하고 시간이 지남에 따라 변화하는 장염 비브리오의 수를 꺾은선그래프로 나타내시오.

[5점]

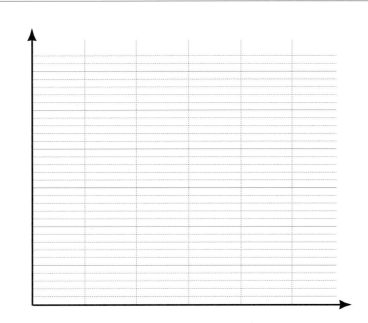

**(3)** 위 기사에 있는 그래프를 참고하여 1년 중 7~9월에 장염 비브리오 식중독 발생 건수와 환자 수가 가장 많은 이유를 2가지 서술하시오. [3점]

1

2

**08** 민재, 민기, 정훈, 채원이가 다음과 같은 4개의 비커 중 한 개씩 선택하여 혼합물을 분리하는 실험을 했다.

(가)　　　　(나)　　　　(다)　　　　(라)

> 민재는 비커에 물을 부었고, 민기는 혼합물의 분리 과정에서 거름 장치를 사용하지 않았다.
> 정훈이는 채원이와 달리 많은 실험 기구를 사용하지 않았다.

민재, 민기, 정훈, 채원이가 선택한 비커를 각각 쓰고, 그렇게 생각한 이유를 서술하시오.

[6점]

민재

_____

민기

_____

정훈

_____

채원

_____

_____

**09** 햇빛에 의해 말의 그림자가 생겼다. 말의 그림자를 통해 알 수 있는 사실을 3가지 서술하시오. [6점]

① _____

_____

② _____

_____

③ _____

_____

_____

# 창의적 문제해결력

**10** 다음은 사막여우와 북극여우의 모습이다. 사막여우와 북극여우가 서로 다른 모습을 하고 있는 부분을 2가지 찾고 이유와 함께 서술하시오. [6점]

▲ 사막여우

▲ 북극여우

위 사진은 사막에 사는 황토색 사막여우와 북극에 사는 흰색 북극여우의 모습이다. 같은 여우라도 사는 곳에 따라 긴 시간이 흐르면 서로 다른 모습을 갖추게 된다.

①
_____

_____

_____

_____

②
_____

_____

_____

_____

_____

**11** 다음은 한라산과 설악산의 모습을 나타낸 사진이다. 이 두 산의 모습을 비교하여 차이점을 4가지 서술하시오. [6점]

▲ 한라산

▲ 설악산

① _____

_____

_____

② _____

_____

_____

③ _____

_____

_____

④ _____

_____

_____

# 창의적 문제해결력

**12** 한여름에 시원하게 쏟아지는 거센 소나기에도 연꽃잎은 빗방울을 튕겨 내고 고인 빗물을 흘려보내 항상 깨끗한 상태를 유지한다. 이러한 현상을 '연잎 효과'라고 하는데 연꽃잎이 물방울에 젖지 않는 핵심적인 이유는 연꽃잎에 무수히 나 있는 미세한 돌기와 연꽃잎 표면을 코팅하고 있는 왁스 성분 때문이다. '연잎 효과'를 생활 속에서 이용할 수 있는 구체적인 예를 3가지 서술하시오. [7점]

① _____

_____

② _____

_____

③ _____

_____

_____

**13** 다음은 우리나라 지진 발생 현황을 나타낸 자료이다. 자료를 통해 알 수 있는 한반도
지진의 특징을 5가지 서술하시오. [7점]

※ 출처 : 기상청(www.kma.go.kr) 지진/화산 정보게시판

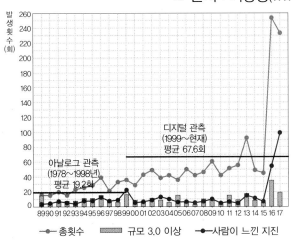 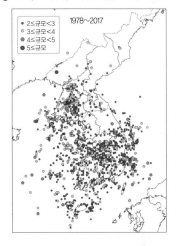

_____

_____

_____

_____

_____

_____

_____

_____

# 창의적 문제해결력

**14** 다음은 2억 4,200만~2억 3,500만 년 전 인도양 및 남아시아 지역에 살았던 날치의 조상에 대해 설명한 기사이다. 물음에 답하시오.

[기 사]

중국의 과학일러스트레이터 페이시앙우는 2009년에 중국 서남부에서 발견된 화석을 토대로 트라이아스기 시대의 날치의 모습을 복원했다. 날치의 이름은 포타닉시스 징구엔시스. 연구진에 따르면 포타닉시스 징구엔시스는 지금의 날치와 비슷하게 활강 능력이 있었던 것으로 보인다. 가슴에 있는 커다란 지느러미는 날개 역할을 하고 두 갈래로 갈라진 꼬리

지느러미 중 아래쪽 긴 지느러미는 포타닉시스 징구엔시스가 물을 박차며 솟구칠 수 있게 도왔다.

**(1)** 화석이 발견된 지역인 중국 서남부는 과거에는 양쯔해라는 바다였다. 연구진은 날치가 물 위를 날 수 있다는 사실을 바탕으로 화석이 발견된 지역이 과거에는 수온이 높은 바다였을 것이라고 유추했다. 그 이유를 근육의 기능과 관련지어 서술하시오.

[4점]

**(2)** 현대의 날치는 30초 만에 400 m를 활강하고 순간 최고 속도는 시속 72 km에 이른다. 중국 척추동물 고생물학 및 고인류학 연구소는 이 화석을 분석해 과거 날치가 지금의 날치와 비슷하게 활강 능력이 있었던 것으로 분석·발표했다. 날치가 물 위를 날 수 있어 좋은 점과 그 이유를 2가지 서술하시오. [8점]

**①**

_____

_____

_____

_____

**②**

_____

_____

_____

_____

_____

_____

「창의적 문제해결력」 모의고사

4회

# 안쌤의
# 창의적 문제해결력 시리즈

# 안쌤의
# 줄기과학 시리즈

새 교육과정
3~4학년
학기별
STEAM 과학

3-1 **8강**   3-2 **8강**      4-1 **8강**   4-2 **8강**

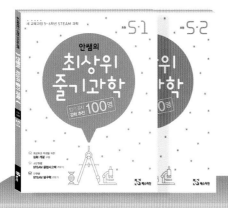

새 교육과정
5~6학년
학기별
STEAM 과학

5-1 **8강**   5-2 **8강**            6-1 **8강**   6-2 **8강**

새 교육과정
중등 영역별
STEAM 과학

**물리학 24강**   **화학 16강**   **생명과학 16강**   **지구과학 16강**      **물리학 워크북**      **화학 워크북**

영재교육원 영재학급 관찰추천제 대비

안쌤의
「창의적 문제 해결력」 수학 과학

공통

모의고사 3·4 학년

평가 가이드

 매스티안

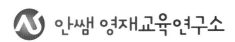

# 안쌤 영재교육연구소

상위 1%가 되는 길로 안내하는 이정표로,
학생들이 꿈을 이루어갈 수 있도록 콘텐츠 개발과 강의 연구를 하고 있다.

**저자 안쌤 영재교육연구소**
안재범, 최은화, 유나영, 이상호, 추진희, 오아린, 허재이, 이민숙, 이나연, 김혜진, 김샛별

이 교재에 도움을 주신 선생님
강영미, 고려욱, 김민경, 김민정, 김성희, 김영균, 김은수, 김정숙, 김정아, 김정환, 김지영, 김진남,
김진선, 김진영, 김현민, 김형진, 김희진, 노관호, 류수진, 마성재, 박기훈, 박미경, 박선재, 박은아,
박재현, 박지숙, 박진국, 백광열, 서윤정, 손현선, 송경화, 신석화, 신한규, 어유선, 오소영, 유경아,
유승희, 유영란, 유지유, 윤선애, 윤소영, 윤이현, 이경미, 이미영, 이석영, 이아란, 이은덕, 이은범,
이진실, 임선화, 임성은, 임은란, 장수진, 장시영, 전정희, 전진홍, 전현정, 전희원, 정지윤, 정대현,
조영부, 조지훈, 채윤정, 채중석, 최용덕, 최지유, 주지훈, 하정용, 한현정, 홍애순

「창의적 문제해결력」 모의고사 **1**회

# 평가 가이드

① 수학·과학 문항 **구성** 및 **채점표**

② 문항별 **채점 기준**

| 평가 영역<br>문항 | 수학 사고력 | | 수학 창의성 | | 수학 STEAM | |
|---|---|---|---|---|---|---|
| | 개념 이해력 | 개념 응용력 | 유창성 | 독창성 | 문제 파악 능력 | 문제 해결 능력 |
| 1 | 점 | | | | | |
| 2 | | 점 | | | | |
| 3 | | 점 | | | | |
| 4 | | 점 | | | | |
| 5 | | | 점 | 점 | | |
| 6 | | | 점 | 점 | | |
| 7 | | | | | 점 | 점 |

| 평가 영역별<br>점수 | 개념 이해력 | 개념 응용력 | 유창성 | 독창성 | 문제 파악 능력 | 문제 해결 능력 |
|---|---|---|---|---|---|---|
| | | | | | | |
| | 수학 사고력 | | 수학 창의성 | | 수학 STEAM | |
| | / 24점 | | / 14점 | | / 12점 | |

| 수학 | 총점 |
|---|---|
| | |

● 평가 결과에 따른 학습 방향

**사고력**
| 21점 이상 | 정확하게 답안을 작성하는 연습을 하세요. |
| 14~20점 | 교과 개념과 연관된 응용문제로 문제 적응력을 기르세요. |
| 14점 미만 | 틀린 문항과 관련된 교과 개념을 다시 공부하세요. |

**창의성**
| 12점 이상 | 보다 독창성 있는 아이디어를 내는 연습을 하세요. |
| 8~11점 | 다양한 관점의 아이디어를 더 내는 연습을 하세요. |
| 8점 미만 | 적절한 아이디어를 더 내는 연습을 하세요. |

**STEAM**
| 10점 이상 | 답안을 보다 구체적으로 작성하는 연습을 하세요. |
| 7~9점 | 문제 해결 방안의 아이디어를 다양하게 내는 연습을 하세요. |
| 7점 미만 | 실생활과 관련된 수학 기사로 수학적 사고를 확장하는 연습을 하세요. |

# 과학 | 문항 구성 및 채점표

| 평가 영역<br>문항 | 과학 사고력 | | 과학 창의성 | | 과학 STEAM | |
|---|---|---|---|---|---|---|
| | 개념 이해력 | 탐구 능력 | 유창성 | 독창성 | 문제 파악 능력 | 문제 해결 능력 |
| 8 | 점 | | | | | |
| 9 | | 점 | | | | |
| 10 | 점 | | | | | |
| 11 | | 점 | | | | |
| 12 | | | 점 | 점 | | |
| 13 | | | 점 | 점 | | |
| 14 | | | | | 점 | 점 |

| 평가 영역별<br>점수 | 개념 이해력 | 탐구 능력 | 유창성 | 독창성 | 문제 파악 능력 | 문제 해결 능력 |
|---|---|---|---|---|---|---|
| | | | | | | |
| | 과학 사고력 | | 과학 창의성 | | 과학 STEAM | |
| | / 24점 | | / 14점 | | / 12점 | |

| 과학 | 총점 | |
|---|---|---|

● 평가 결과에 따른 학습 방향

| 사고력 | | |
|---|---|---|
| | 21점 이상 | 정확하게 답안을 작성하는 연습을 하세요. |
| | 14~20점 | 교과 개념과 연관된 응용문제로 문제 적응력을 기르세요. |
| | 14점 미만 | 틀린 문항과 관련된 교과 개념을 다시 공부하세요. |

| 창의성 | | |
|---|---|---|
| | 12점 이상 | 보다 독창성 있는 아이디어를 내는 연습을 하세요. |
| | 8~11점 | 다양한 관점의 아이디어를 더 내는 연습을 하세요. |
| | 8점 미만 | 적절한 아이디어를 더 내는 연습을 하세요. |

| STEAM | | |
|---|---|---|
| | 10점 이상 | 답안을 보다 구체적으로 작성하는 연습을 하세요. |
| | 7~9점 | 문제 해결 방안의 아이디어를 다양하게 내는 연습을 하세요. |
| | 7점 미만 | 실생활과 관련된 과학 기사로 과학적 사고를 확장하는 연습을 하세요. |

### 01 수학 **사고력**

| 관련 단원 | 4학년 1학기 4단원 평면도형의 이동 |
|---|---|
| 평가 영역 | 개념 이해력 |

**예시답안**

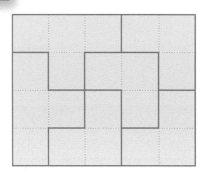 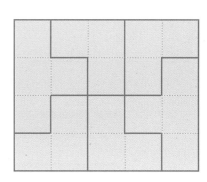

**해설**

사각형 판에서 □의 개수는 20개(4×5=20)이며, (가)는 □가 3개, (나)는 □가 4개이다.
(나)를 5개 사용하면 □가 20개이지만, (나)로는 사각형 판을 빈틈없이 덮을 수 없다. 따라서
그다음으로 도형을 최소한으로 사용하는 방법은 (가) 4개, (나) 2개이다. 예시답안의 방법 외
에도 빈틈없이 사각형 판을 덮는 방법은 여러 가지가 있다.

**채점 기준** 총체적 채점

**개념 이해력 [6점]** : 평면도형의 밀기, 뒤집기, 돌리기, 뒤집고 돌리기를 이해하고 있는가?

| 적절한 아이디어의 수 | 점수 |
|---|---|
| 1가지를 바르게 그린 경우 | 2점 |
| 2가지를 바르게 그린 경우 | 6점 |

**02** 수학 **사고력**

| 관련 단원 | 3학년 1학기 2단원 평면도형 |
|---|---|
| 평가 영역 | 개념 응용력 |

**모범답안**

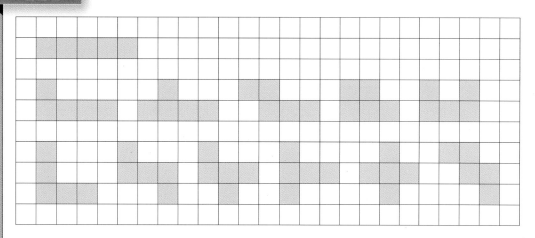

**해설**

한 줄로 나열된 정사각형이 각각 5개, 4개, 3개인 경우로 나누면, 중복을 피하면서 문제의 조건에 맞는 도형 12개를 모두 그릴 수 있다.

**채점 기준** 총체적 채점

**개념 응용력 [6점]** : 정사각형의 특징 이해하고, 5개를 붙인 도형을 만들 수 있는가?

| 적절한 아이디어의 수 | 점수 | 적절한 아이디어의 수 | 점수 |
|---|---|---|---|
| 1~3가지를 바르게 그린 경우 | 1점 | 8~9가지를 바르게 그린 경우 | 4점 |
| 4~5가지를 바르게 그린 경우 | 2점 | 10~11가지를 바르게 그린 경우 | 5점 |
| 6~7가지를 바르게 그린 경우 | 3점 | 12가지를 바르게 그린 경우 | 6점 |

**03** 수학 **사고력**

| 관련 단원 | 3학년 1학기 4단원 곱셈 |
|---|---|
| 평가 영역 | 개념 응용력 |

### 모범답안

〈가〉 : ☐×10

〈나〉 : 15

〈다〉 : 없음

### 해설

〈가〉는 10, 20, 30을 포함하므로 ☐×10이다.

〈나〉는 3의 배수이면서 5의 배수이고, 30을 제외한 수이므로 15이다.

〈다〉는 1~30까지의 수에서 10의 배수이면서 10, 20, 30을 제외한 수이므로 해당하는 수는 없다.

### 채점 기준   요소별 채점

**개념 응용력 [6점]** : 곱셈을 이용하여 규칙을 찾을 수 있는가?

| 채점 요소 | 점수 |
|---|---|
| 〈가〉 규칙을 바르게 구한 경우 | 2점 |
| 〈나〉에 해당하는 수를 바르게 구한 경우 | 2점 |
| 〈다〉에 해당하는 수가 없음을 쓴 경우 | 2점 |

**04 수학 사고력**

| 관련 단원 | 4학년 1학기 6단원 규칙 찾기 |
|---|---|
| 평가 영역 | 개념 응용력 |

### 예시답안

앞의 여섯 자리 수는 연도와 월, 날짜를 순서대로 나타낸 것이다.
161224는 2016년 12월 24일이다.
다음 연속하는 3개의 두 자리 수는 앞의 여섯 자리 수를 이용해 만들 수 있다.
여섯 자리 수를 ABCDEF라고 한다면 연속하는 3개의 두 자리 수는
AB−(CD×2)−(EF×2)로 나타낼 수 있다.

### 채점 기준  요소별 채점

**개념 응용력 [6점]** : 주어진 수에서 곱셈을 이용하여 규칙을 찾을 수 있는가?

| 채점 요소 | 점수 |
|---|---|
| 앞의 여섯 자리 수의 규칙을 바르게 서술한 경우 | 2점 |
| 연속하는 3개의 두 자리 수의 규칙을 바르게 서술한 경우 | 4점 |

## 05 수학 **창의성**

| 관련 단원 | 3학년 1학기 1단원 덧셈과 뺄셈 |
|---|---|
| 평가 영역 | 유창성, 독창성 |

### 예시답안

① 1+1=1 : 물방울 2개가 모여서 큰 물방울 1개가 된다. 찰흙 두 덩어리를 뭉치면 한 덩어리가 된다. 물에 설탕을 섞으면 설탕물이 된다. 털실 2 뭉치로 목도리 1개를 뜬다.

② 1+1=많음 : 유리판 두 개를 부딪치면 깨져서 여러 개의 유리 조각이 된다.

③ 1+1=3 : 남자와 여자가 결혼해 아이가 태어나 3명의 가족이 된다.

④ 1+1=11 : 왼쪽 손가락 한 개와 오른쪽 손가락 한 개를 나란히 두면 11이 된다.

⑤ 1+1=0 : 한 물체를 반대 방향으로 1이라는 힘으로 잡아당기면 물체에 작용하는 힘이 없어 물체가 움직이지 않는다.

### 채점 기준    총체적 채점

**유창성 [4점]** : 적절한 아이디어를 얼마나 많이 찾았는가?

| 적절한 아이디어의 수 | 점수 | 적절한 아이디어의 수 | 점수 |
|---|---|---|---|
| 1~2가지를 바르게 서술한 경우 | 1점 | 4가지를 바르게 서술한 경우 | 3점 |
| 3가지를 바르게 서술한 경우 | 2점 | 5가지를 바르게 서술한 경우 | 4점 |

**독창성 [3점]** : 아이디어가 통계적으로 보아 얼마나 드물게 나타나고 또 특별한가?

| 채점 요소 | 점수 |
|---|---|
| 1+1=1인 경우만 서술한 경우 | 1점 |
| 1+1이 1외의 다른 숫자가 되는 경우를 바르게 서술한 경우 | 3점 |

**06** 수학 **창의성**

| 관련 단원 | 4학년 2학기 6단원 다각형 |
| --- | --- |
| 평가 영역 | 유창성, 독창성 |

### 예시답안

① 원 모양으로 만들면 같은 재료로 넓은 집을 지을 수 있지만 각 원 모양이 접촉하는 면이 작아 연결하여 고정하기 어렵다.

② 정삼각형으로 만들면 튼튼하지만 정육각형으로 만들 때보다 재료가 2배가 필요하다.

③ 정사각형으로 만들면 한쪽에서 힘이 가해질 때 쉽게 찌그러지거나 무너지기 쉽다.

④ 정오각형으로 만들면 정오각형의 한 내각의 크기는 108°이므로 한 점에 정오각형 3개를 모아두면 36°만큼의 틈이 생긴다.

### 채점 기준   총체적 채점

**유창성 [4점]** : 적절한 아이디어를 얼마나 많이 찾았는가?

| 적절한 아이디어의 수 | 점수 |
| --- | --- |
| 바르게 서술한 경우 1가지당 | 1점 |

**독창성 [3점]** : 아이디어가 통계적으로 보아 얼마나 드물게 나타나고 또 특별한가?

| 채점 요소 | 점수 |
| --- | --- |
| 한 가지 도형과 비교하여 바르게 서술한 경우 | 1점 |
| 두 가지 이상의 도형과 비교하여 바르게 서술한 경우 | 3점 |

**07 수학 STEAM**

| 관련 단원 | 4학년 1학기 3단원 곱셈과 나눗셈 |
|---|---|
| 평가 영역 | 문제 파악 능력, 문제 해결 능력 |

**(1)** 모범답안

26,980원

전력 사용량이 235 kWh이므로 기본요금은 1,600원이다.

전력량 요금은 $200+35=235$(kWh)이므로

$200 \times 94 + 35 \times 188 = 18,800 + 6,580 = 25,380$(원)이다.

따라서 전기요금은 $1,600 + 25,380 = 26,980$(원)이다.

**(2)** 모범답안

40,450원

10월이므로 전력량 요금은 60원/kWh이다.

전력 사용량이 587 kWh이므로 전력량 요금은 $587 \times 60 = 35,220$이다.

따라서 전기요금은 $5,230 + 35,220 = 40,450$원이다.

채점 기준   요소별 채점

**문제 파악 능력 [9점]** : 기본요금과 전력량 요금을 이용하여 전기요금을 구할 수 있는가?

| | 채점 요소 | 점수 |
|---|---|---|
| (1) | 전력량의 구간을 정확히 나누어 전기요금을 바르게 구한 경우 | 6점 |
| | 전기요금만 바르게 구한 경우 | 4점 |
| | 전력량의 구간만 바르게 나눈 경우 | 2점 |
| (2) | 전기요금을 바르게 구한 경우 | 3점 |

(3)

① 누진세를 폐지한다.
② 누진세 구간을 넓게 잡는다.
③ 여름에 전기요금을 할인해준다.
④ 소비자에게 다양한 요금 선택권을 준다.
⑤ 에어컨을 사용할 때 다른 가전제품의 전력 소모량을 줄인다.
⑥ 여름철 적정 온도를 유지한다.
⑦ 에어컨 사용 시간을 줄인다.

해설

전기요금 누진제는 전력 낭비를 줄이기 위한 목적으로 시행되고 있지만, 주택용에만 적용되고 산업용과 일반용은 적용되지 않으므로 형평성의 문제가 있다. 누진제를 폐지하면 전기를 적게 쓰는 가구의 전기요금은 올라가고, 전기를 많이 쓰는 가구의 전기요금은 대폭 인하돼 서민부담이 늘어난다. 따라서 서민 복지 측면에서 주택용 누진제를 구간을 조절해서 유지하고, 산업용과 일반용의 전기요금을 높여야 한다는 주장이 있다.

채점 기준    요소별 채점

**문제 해결 능력 [3점]** : 문제점을 해결할 수 있는 아이디어를 고안했는가?

| 채점 요소 | 점수 |
|---|---|
| 에어컨 사용 시간을 줄이는 방법을 서술한 경우 | 1점 |
| 에어컨 사용 시간 외 방법을 서술한 경우 | 3점 |

## 08 과학 **사고력**

| 관련 단원 | 3학년 2학기 4단원 물질의 상태 |
| --- | --- |
| 평가 영역 | 개념 이해력 |

### 예시답안

① 풍선에 기체를 넣어 풍선 아트를 만든다.

② 자동차나 자전거 타이어에 기체를 넣어 사용한다.

③ 고무 튜브나 고무보트에 기체를 넣어서 사용한다.

④ 과자 봉지에 과자가 부서지지 않게 하기 위해 기체를 넣는다.

⑤ 운동화에 기체를 넣어 발바닥에 가해지는 충격을 줄인다.

⑥ 에어매트에 기체를 넣어서 사용한다.

⑦ 에어캡(뽁뽁이)에 기체를 넣어 물체를 포장하면 물체에 가해지는 충격을 줄일 수 있다.

### 해설

기체는 눈에 보이지 않고 손으로 잡을 수도 없지만 항상 우리 주위에 있다. 기체는 부피가 있어 일정한 공간을 차지하고 무게가 있어 누르는 힘이 작용한다.

### 채점 기준  총체적 채점

**개념 이해력 [6점]** : 우리 주위에서 기체가 이용되는 다양한 경우를 찾을 수 있는가?

| 적절한 아이디어의 수 | 점수 | 적절한 아이디어의 수 | 점수 |
| --- | --- | --- | --- |
| 1가지를 바르게 서술한 경우 | 1점 | 3가지를 바르게 서술한 경우 | 4점 |
| 2가지를 바르게 서술한 경우 | 2점 | 4가지를 바르게 서술한 경우 | 6점 |

## 09 과학 **사고력**

| 관련 단원 | 3학년 1학기 4단원 자석의 이용 |
|---|---|
| 평가 영역 | 탐구 능력 |

### 예시답안

* 자석 필통
  ① 성질 : 자석이 철로 된 물체를 끌어당기는 힘을 이용한다.
  ② 또 다른 예 : 냉장고 문, 핸드백, 뚜껑을 덮는 스마트폰 케이스, 자석 칠판, 클립 보관 통, 나사가 붙는 드라이버
* 고리 자석 탑
  ① 성질 : 자석의 같은 극끼리 밀어내는 힘을 이용한다.
  ② 또 다른 예 : 자기 부상 열차, 자기 부상 팽이, 자석 로켓, 자석 자동차

### 해설

자석은 철로 된 물체를 끌어당기고, 같은 극 사이에서는 서로 밀어내는 척력, 다른 극 사이에서는 서로 끌어당기는 인력이 작용한다.

### 채점 기준　요소별 채점

**탐구 능력 [6점]** : 자석 필통과 고리 자석 탑에 이용된 자석의 성질을 찾을 수 있는가?

| 채점 요소 | 점수 |
|---|---|
| 자석 필통에 이용된 자석의 성질을 바르게 서술한 경우 | 2점 |
| 자석 필통에 이용된 자석의 성질이 이용된 또 다른 예를 바르게 서술한 경우 | 1점 |
| 고리 자석 탑에 이용된 자석의 성질을 바르게 서술한 경우 | 2점 |
| 고리 자석 탑에 이용된 자석의 성질이 이용된 또 다른 예를 바르게 서술한 경우 | 1점 |

**⑩ 과학 사고력**

| 관련 단원 | 4학년 1학기 4단원 물체의 무게 |
|---|---|
| 평가 영역 | 개념 이해력 |

### 예시답안

① 손잡이 실을 오른쪽으로 이동시킨다.
② 왼쪽의 ◯을 모빌의 중심에서 멀리 이동시킨다.
③ 오른쪽의 ☐을 모빌의 중심에 가깝게 이동시킨다.
④ 오른쪽의 △을 모빌의 중심에 가깝게 이동시킨다.

### 해설

모빌의 중심과 기울어진 쪽의 물체와의 거리가 가까워져야 수평을 만들 수 있다.

### 채점 기준    총체적 채점

**개념 이해력 [6점]** : 수평 잡기의 원리를 이해하고 있는가?

| 적절한 아이디어의 수 | 점수 |
|---|---|
| 바르게 서술한 경우 1가지당 | 2점 |

**11** 과학 **사고력**

| 관련 단원 | 3학년 2학기 3단원 지표의 변화 |
|---|---|
| 평가 영역 | 탐구 능력 |

### 모범답안

* 결과 : 화단 흙은 운동장 흙보다 물이 잘 빠지지 않는다.
* 이유 : 화단 흙은 운동장 흙보다 알갱이 사이의 틈이 좁기 때문이다.
* 식물에 미치는 영향 : 화단 흙은 식물이 흡수할 수 있는 물을 많이 머금고 있어 운동장 흙보다 식물이 더 잘 자란다.

### 해설

운동장 흙에서 물이 더 빨리, 더 많이 빠진다. 이 실험은 운동장 흙과 화단 흙으로 흙의 종류를 다르게 하여 물이 빠져나오는 시간과 양을 측정해 흙의 종류에 따라 물이 빠지는 속도와 양을 알아보는 실험이다.

### 채점 기준　요소별 채점

**탐구 능력 [6점]** : 화단 흙과 운동장 흙의 물 빠짐을 비교하여 식물에 미치는 영향을 추리할 수 있는가?

| 채점 요소 | 점수 |
|---|---|
| 실험 결과를 바르게 서술한 경우 | 1점 |
| 이유를 바르게 서술한 경우 | 2점 |
| 실험 결과가 식물에 미치는 영향을 바르게 설명한 경우 | 3점 |

## ⑫ 과학 **창의성**

| 관련 단원 | 3학년 1학기 4단원 자석의 이용 |
|---|---|
| 평가 영역 | 유창성, 독창성 |

### 예시답안

① 자석은 양 끝이 힘이 세고 가운데는 힘이 약하다. 두 막대를 T 모양으로 놓았을 때 그대로 붙어 있다면 세로로 놓은 막대(A)는 막대자석이고 가로로 놓은 막대(B)는 철 막대이다. 만약 붙지 않고 세로로 놓은 막대가 회전하여 가로로 놓은 막대에 붙는다면 가로로 놓은 막대(B)는 막대자석이고 세로로 놓은 막대(A)는 철 막대이다.

② 막대 가운데에 실을 매달고 실을 들었을 때 남북 방향을 가리키는 막대는 막대자석이고, 움직이지 않고 가만히 있는 막대는 철 막대이다.

③ 종이배를 물 위에 띄우고 막대를 종이배 위에 놓았을 때 남북 방향을 가리키는 막대는 막대자석이고, 가만히 있는 막대는 철 막대이다.

④ 막대로 바늘을 한 방향으로 여러 번 문질렀을 때 바늘이 자기화되면 막대자석이고, 그렇지 않으면 철 막대이다.

⑤ 클립을 막대 끝에 가져갔을 때 붙으면 막대자석이고, 붙지 않으면 철 막대이다.

### 해설

막대자석은 양쪽 끝부분이 극이므로 양쪽 끝부분이 가운데 부분보다 철로 된 물체를 더 세게 끌어당긴다. 지구도 하나의 커다란 자석이므로 자석을 공중에 매달면 항상 남북 방향을 가리킨다.

### 채점 기준　총체적 채점

**유창성 [5점]** : 적절한 아이디어를 얼마나 많이 찾았는가?

| 적절한 아이디어의 수 | 점수 |
|---|---|
| 바르게 서술한 경우 1가지당 | 1점 |

**독창성 [2점]** : 아이디어가 통계적으로 보아 얼마나 드물게 나타나고 또 특별한가?

| 채점 요소 | 점수 |
|---|---|
| 실, 클립, 바늘, 종이배 등 다른 물체를 사용한 경우 | 1점 |
| 다른 물체를 사용하지 않고 두 막대만 사용한 경우 | 2점 |

**13** 과학 **창의성**

| 관련 단원 | 3학년 1학기 2단원 물질의 성질 |
| --- | --- |
| 평가 영역 | 유창성, 독창성 |

### 예시답안

① 우산 : 종이, 비닐, 천 등
② 옷 : 면, 마, 모, 나일론, 폴리에스터, 가죽, 비닐 등
③ 컵 : 유리, 금속, 플라스틱, 종이, 실리콘 등
④ 의자 : 나무, 금속, 플라스틱 등
⑤ 그릇 : 유리, 금속, 플라스틱, 세라믹, 종이 등
⑥ 모자 : 천, 플라스틱, 가죽, 종이, 털실 등
⑦ 가방 : 비닐, 가죽, 천, 종이 등

### 해설

물질마다 성질이 다르므로 우리 생활에서 쓰임새에 맞게 편리하게 사용하기 위해 다양한 물질로 물체를 만든다.

### 채점 기준    총체적 채점

**유창성 [5점]** : 적절한 아이디어를 얼마나 많이 찾았는가?

| 적절한 아이디어의 수 | 점수 |
| --- | --- |
| 바르게 서술한 경우 1가지당 | 1점 |

**독창성 [2점]** : 아이디어가 통계적으로 보아 얼마나 드물게 나타나고 또 특별한가?

| 채점 요소 | 점수 |
| --- | --- |
| 한 물체를 만든 물질을 5개 이상 적은 경우 | 2점 |

**14** 과학 STEAM

| 관련 단원 | 3학년 2학기 2단원 동물의 생활 |
|---|---|
| 평가 영역 | 문제 파악 능력, 문제 해결 능력 |

(1) **모범답안**

초식공룡의 장내 미생물이 먹이를 소화할 때 발생한 메테인이 지구 온난화의 주요인이 되어 중생대 지구 기온을 상승시켰다.

**해설**

온실 효과는 지구 대기에 포함된 수증기, 이산화 탄소, 메테인 등의 온실 기체가 지구가 방출하는 복사 에너지를 흡수한 뒤 다시 지표로 재방출하고, 이 중 일부가 지구에 흡수되어 지구의 평균 온도가 상승하는 현상이다. 지구는 온실 효과로 평균 기온이 15 ℃ 정도로 유지된다. 만약 지구에 대기가 없어 온실 효과가 나타나지 않는다면 지구의 평균 기온은 −18 ℃ 정도로 낮아질 것이다. 온실 기체의 종류는 매우 다양하지만, 이산화 탄소, 메테인, 일산화 이질소, 프레온 가스, 오존 등이 대표적이다. 각 온실 기체들이 온실 효과를 일으키는 데 기여하는 정도는 모두 다르다. 이산화 탄소는 온실 효과율이 작지만 대기 중 농도가 다른 온실 기체의 농도에 비해 훨씬 크기 때문에 온실 효과를 일으키는 정도가 가장 크다. 메테인은 이산화 탄소보다 온실 효과가 25배나 크다. 소 4마리가 트림이나 방귀로 방출하는 메테인의 온실 효과는 자동차 1대가 내뿜는 이산화 탄소에 맞먹는다. 지구 온난화란 지구 대기 중에 온실 기체의 양이 많아져 온실 효과가 활발해짐에 따라 지구의 연평균 기온이 상승하는 현상이다. 지구 온난화의 원인은 화석 연료의 사용량 증가, 산림 벌채, 도시 개발, 농경지 확장 등으로 인한 식물의 광합성량 감소 등 다양하다. 지구 온난화로 인해 지구의 평균 기온이 상승하면 극지방의 얼음이 녹아 해수면이 상승하고 해안 지역이 침수된다. 또한 집중 호우, 홍수, 가뭄 등 기상 이변이 자주 나타나고 가뭄과 사막화로 인해 식량이 부족해진다.

**채점 기준** 요소별 채점

**문제 파악 능력 [4점]** : 장내 미생물이 먹이를 소화할 때 메테인이 발생하고, 메테인이 지구 온난화의 주요인 것을 알고 있는가?

| 채점 요소 | 점수 |
|---|---|
| 장내 미생물이 먹이를 소화할 때 메테인을 발생시킴을 서술한 경우 | 2점 |
| 메테인이 지구 온난화의 주요인임을 서술한 경우 | 1점 |
| 메테인에 의해 중생대 지구 기온이 상승했음을 서술한 경우 | 1점 |

(2)

① 방귀와 트림으로 배출되는 메테인은 공기보다 가벼우므로 초식동물 축사 위에 메테인을 모을 수 있는 장치를 만들고, 모인 메테인을 물과 함께 얼려 인공 가스 하이드레이트로 만들어 연료로 사용한다.

② 초식동물 축사 위에 투명한 돔을 만들어서 공기보다 가벼운 메테인을 모은다. 메테인이 어느 정도 모이면 요리나 난방 연료로 사용하거나 발전기를 돌려 전기를 만든다.

메테인은 가축의 분뇨가 발효되는 과정에서 발생하는 기체 중 하나이며, 반추동물(소처럼 위가 4개인 동물)에서는 제1위에서 섭취한 사료의 소화 과정에서 발생한다. 가축 분뇨를 밀폐형 탱크에 모아두면 미생물의 분해 작용을 거쳐 유기산이 만들어지고, 이것을 다시 한번 발효시키면 메테인 등의 기체가 발생한다. 이 기체를 바이오가스라고 한다. 바이오가스는 천연가스처럼 가스보일러를 돌리거나 축사를 따뜻하게 만드는 데 사용된다. 또 발전기를 돌려 전기와 열을 동시에 얻는 열병합발전도 가능하다. 바이오가스 생산기술을 이용하면 가축 분뇨를 처리하는 과정에서 발생하는 메테인과 이산화 탄소 등 온실 기체를 줄일 수 있다.

총체적 채점

**문제 해결 능력 [8점]** : 문제점을 해결할 수 있는 아이디어를 고안했는가?

| 채점 요소 | 점수 |
| --- | --- |
| 바르게 서술한 경우 1가지당 | 3점 |
| 바르지 않고 구체적이지 않은 경우 1가지당 | 1점 |

모의고사 1회 평가 가이드

「창의적 문제해결력」 모의고사

# 평가 가이드

**①** 수학·과학 문항 **구성** 및 **채점표**

**②** 문항별 **채점 기준**

| 평가 영역 / 문항 | 수학 사고력 | | 수학 창의성 | | 수학 STEAM | |
|---|---|---|---|---|---|---|
| | 개념 이해력 | 개념 응용력 | 유창성 | 독창성 | 문제 파악 능력 | 문제 해결 능력 |
| 1 | 점 | | | | | |
| 2 | 점 | | | | | |
| 3 | | 점 | | | | |
| 4 | | 점 | | | | |
| 5 | | | 점 | 점 | | |
| 6 | | | 점 | 점 | | |
| 7 | | | | | 점 | 점 |

| 평가 영역별 점수 | 개념 이해력 | 개념 응용력 | 유창성 | 독창성 | 문제 파악 능력 | 문제 해결 능력 |
|---|---|---|---|---|---|---|
| | | | | | | |
| | 수학 사고력 | | 수학 창의성 | | 수학 STEAM | |
| | / 24점 | | / 14점 | | / 12점 | |

| 수학 | | 총점 | |
|---|---|---|---|
| | | | |

● 평가 결과에 따른 학습 방향

| 사고력 | 21점 이상 | 정확하게 답안을 작성하는 연습을 하세요. |
|---|---|---|
| | 14~20점 | 교과 개념과 연관된 응용문제로 문제 적응력을 기르세요. |
| | 14점 미만 | 틀린 문항과 관련된 교과 개념을 다시 공부하세요. |

| 창의성 | 12점 이상 | 보다 독창성 있는 아이디어를 내는 연습을 하세요. |
|---|---|---|
| | 8~11점 | 다양한 관점의 아이디어를 더 내는 연습을 하세요. |
| | 8점 미만 | 적절한 아이디어를 더 내는 연습을 하세요. |

| STEAM | 10점 이상 | 답안을 보다 구체적으로 작성하는 연습을 하세요. |
|---|---|---|
| | 7~9점 | 문제 해결 방안의 아이디어를 다양하게 내는 연습을 하세요. |
| | 7점 미만 | 실생활과 관련된 수학 기사로 수학적 사고를 확장하는 연습을 하세요. |

# 과학 | 문항 구성 및 채점표

| 평가 영역 / 문항 | 과학 사고력 | | 과학 창의성 | | 과학 STEAM | |
|---|---|---|---|---|---|---|
| | 개념 이해력 | 탐구 능력 | 유창성 | 독창성 | 문제 파악 능력 | 문제 해결 능력 |
| 8 | 점 | | | | | |
| 9 | | 점 | | | | |
| 10 | 점 | | | | | |
| 11 | | 점 | | | | |
| 12 | | | 점 | 점 | | |
| 13 | | | 점 | 점 | | |
| 14 | | | | | 점 | 점 |

| 평가 영역별 점수 | 개념 이해력 | 탐구 능력 | 유창성 | 독창성 | 문제 파악 능력 | 문제 해결 능력 |
|---|---|---|---|---|---|---|
| | | | | | | |
| | 과학 사고력 | | 과학 창의성 | | 과학 STEAM | |
| | / 24점 | | / 14점 | | / 12점 | |

| 과학 | | 총점 | |
|---|---|---|---|

● 평가 결과에 따른 학습 방향

**사고력**
- **21점 이상** 정확하게 답안을 작성하는 연습을 하세요.
- **14~20점** 교과 개념과 연관된 응용문제로 문제 적응력을 기르세요.
- **14점 미만** 틀린 문항과 관련된 교과 개념을 다시 공부하세요.

**창의성**
- **12점 이상** 보다 독창성 있는 아이디어를 내는 연습을 하세요.
- **8~11점** 다양한 관점의 아이디어를 더 내는 연습을 하세요.
- **8점 미만** 적절한 아이디어를 더 내는 연습을 하세요.

**STEAM**
- **10점 이상** 답안을 보다 구체적으로 작성하는 연습을 하세요.
- **7~9점** 문제 해결 방안의 아이디어를 다양하게 내는 연습을 하세요.
- **7점 미만** 실생활과 관련된 과학 기사로 과학적 사고를 확장하는 연습을 하세요.

## 01 수학 **사고력**

| 관련 단원 | 3학년 1학기 1단원 덧셈과 뺄셈 |
|---|---|
| 평가 영역 | 개념 이해력 |

### 모범답안

* 규칙 : 삼각형의 한 변에 놓인 수들의 합이 삼각형 안의 수가 된다.

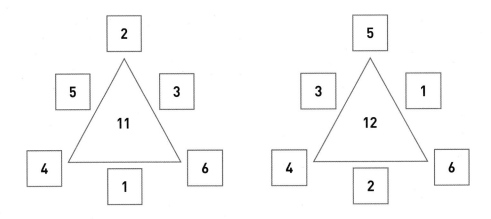

### 해설

각 삼각형의 한 변에 놓인 수의 합은 33과 36이며, ☐ 안에 들어갈 주어진 수(1~6)의 합은 21이다. 주어진 수를 이용해 33-21, 36-21의 값인 12와 15를 만들 수 있는 3개의 수를 찾아 삼각형의 각 꼭짓점에 넣고, 나머지 수를 채운다.

### 채점 기준   요소별 채점

**개념 이해력 [6점]** : 덧셈을 이용하여 규칙에 맞게 각 빈칸을 채울 수 있는가?

| 채점 요소 | 점수 |
|---|---|
| 규칙을 바르게 서술한 경우 | 2점 |
| 삼각형의 한 변에 놓인 수들의 합이 11이 되도록 수를 바르게 채운 경우 | 2점 |
| 삼각형의 한 변에 놓인 수들의 합이 12가 되도록 수를 바르게 채운 경우 | 2점 |

## 02 수학 **사고력**

| 관련 단원 | 3학년 2학기 2단원 나눗셈 |
|---|---|
| 평가 영역 | 개념 이해력 |

### 모범답안

52명

30보다 크고 60보다 작은 수 중에서 6명씩 앉았을 때 자리가 2개가 남았으므로

6으로 나누었을 때 나머지가 4인 수를 구하면

$6×5+4=34$, $6×6+4=40$, $6×7+4=46$, $6×8+4=52$, $6×9+4=58$이다.

이 중에서 7명씩 앉았을 때 자리가 4개 남았으므로

7로 나누었을 때 나머지가 3인 수를 찾으면

$34÷7=4\cdots6$, $40÷7=5\cdots5$, $46÷7=6\cdots4$, $52÷7=7\cdots3$, $58÷7=8\cdots2$이다.

따라서 학생 수는 52명이다.

### 해설

30보다 크고 60보다 작은 수 중에서 6의 배수에서 2를 뺀 수와 7의 배수에서 4를 뺀 수가 같은 수를 찾는다.

| 6의 배수 | 30 | 36 | 42 | 48 | 54 |
|---|---|---|---|---|---|
| 6의 배수−2 | 28 | 34 | 40 | 46 | 52 |
| 7의 배수 | 35 | 42 | 49 | 56 | |
| 7의 배수−4 | 31 | 38 | 45 | 52 | |

### 채점 기준   요소별 채점

**개념 이해력 [6점]** : 곱셈과 나눗셈을 이용하여 조건에 맞는 수를 찾을 수 있는가?

| 채점 요소 | 점수 |
|---|---|
| 정답을 바르게 구한 경우 | 2점 |
| 6으로 나누었을 때 나머지가 4인 수를 모두 서술한 경우 | 2점 |
| 7로 나누었을 때 나머지가 3인 수를 모두 서술한 경우 | 2점 |

## 03 수학 **사고력**

| 관련 단원 | 4학년 1학기 6단원 규칙 찾기 |
|---|---|
| 평가 영역 | 개념 응용력 |

### 모범답안

| 생 | 일 | 축 | 하 | 해 |
|---|---|---|---|---|
| ( 빨간색 ) | ( 파란색 ) | ( 빨간색 ) | ( 빨간색 ) | ( 빨간색 ) |

### 해설

파란색은 5분이 되었을 때 파란색 3분 – 빨간색 2분이므로 빨간색이다.

빨간색은 5분이 되었을 때 빨간색 2분 – 노란색 1분 – 파란색 3분이므로 파란색이다.

노란색은 5분이 되었을 때 노란색 1분 – 파란색 3분 – 빨간색 2분이므로 빨간색이다.

| 구분 | 생 | 일 | 축 | 하 | 해 |
|---|---|---|---|---|---|
| 1분 | 파란색 | 빨간색 | 노란색 | 파란색 | 노란색 |
| 2분 | 파란색 | 빨간색 | 파란색 | 파란색 | 파란색 |
| 3분 | 파란색 | 노란색 | 파란색 | 파란색 | 파란색 |
| 4분 | 빨간색 | 파란색 | 파란색 | 빨간색 | 파란색 |
| 5분 | 빨간색 | 파란색 | 빨간색 | 빨간색 | 빨간색 |

### 채점 기준    총체적 채점

**개념 응용력 [6점]** : 규칙에 맞게 각 빈칸을 채울 수 있는가?

| 채점 요소 | 점수 |
|---|---|
| 1가지 글자의 색을 바르게 쓴 경우 | 1점 |
| 2가지 글자의 색을 바르게 쓴 경우 | 2점 |
| 3가지 글자의 색을 바르게 쓴 경우 | 3점 |
| 4가지 글자의 색을 바르게 쓴 경우 | 4점 |
| 5가지 글자의 색을 바르게 쓴 경우 | 6점 |

# 수학 | 문항별 채점 기준

## 04 수학 **사고력**

| 관련 단원 | 4학년 1학기 6단원 규칙 찾기 |
|---|---|
| 평가 영역 | 개념 응용력 |

### 모범답안

18

주사위를 화살표 방향으로 한 칸씩 굴리면 주사위 눈 1은 숫자 2와 만난다.

이후 4번을 굴릴 때마다 주사위 눈 1이 숫자와 만나므로 6, 10과 만난다.

따라서 주사위 눈 1이 만나는 바닥의 숫자를 모두 합하면 2+6+10=18이다.

### 해설

정육면체 주사위를 한 방향으로 굴리면 4번째마다 같은 면이 바닥에 닿는다.

### 채점 기준  요소별 채점

**개념 응용력 [6점]** : 규칙을 찾고 규칙에 맞는 수를 찾을 수 있는가?

| 채점 요소 | 점수 |
|---|---|
| 정답을 바르게 구한 경우 | 2점 |
| 주사위 눈 1과 만나는 수를 바르게 서술한 경우 | 2점 |
| 주사위 눈 1과 만나는 수의 합을 바르게 서술한 경우 | 2점 |

⑤ 수학 **창의성**

| 관련 단원 | 3학년 1학기 1단원 덧셈과 뺄셈 |
|---|---|
| 평가 영역 | 유창성, 독창성 |

**예시답안**

① 10위 안에 든 학생의 수가 많은 순서대로 모둠의 순위를 정한다.

| 모둠 | 전체 10위 안에 든 학생의 수 | 모둠 순위 |
|---|---|---|
| A | 3 | 2 |
| B | 3 | 2 |
| C | 4 | 1 |

② 각 모둠에서 가장 순위가 높은 선수의 순위로 모둠의 순위를 정한다.

| 모둠 | 순위가 가장 높은 학생의 순위 | 모둠 순위 |
|---|---|---|
| A | 1 | 1 |
| B | 2 | 2 |
| C | 4 | 3 |

③ 10위 안에 든 학생들에게 1등은 1점, 2등은 2점, …,10등은 10점으로 점수를 주고 점수를 합한 값이 작은 순서대로 모둠의 순위를 정한다.

| 모둠 | 전체 10위 안에 든 학생의 수 | 모둠 순위 |
|---|---|---|
| A | 1+3+8=12 | 1 |
| B | 2+5+6=13 | 2 |
| C | 4+7+9+10=30 | 3 |

④ 1등은 1점, 2등은 2점, …, 30등은 30점으로 점수를 주고 각 모둠 안에서 5위까지의 점수를 합한 값이 작은 순서대로 모둠의 순위를 정한다.

| 모둠 | 각 모둠 안에서 5위까지의 점수를 합한 값 | 모둠 순위 |
|---|---|---|
| A | 1+3+8+13+14=39 | 1 |
| B | 2+5+6+12+15=40 | 2 |
| C | 4+7+9+10+11=41 | 3 |

**채점 기준** 총체적 채점

**유창성 [4점]**: 적절한 아이디어를 얼마나 많이 찾았는가?

| 적절한 아이디어의 수 | 점수 |
|---|---|
| 바르게 서술한 경우 1가지당 | 1점 |

**독창성 [3점]**: 아이디어가 통계적으로 보아 얼마나 드물게 나타나고 또 특별한가?

| 채점 요소 | 점수 |
|---|---|
| 학생의 순위만 이용하여 모둠 순위를 정한 경우 | 1점 |
| 학생의 순위에 점수를 주고, 그 점수를 이용해 모둠 순위를 정한 경우 | 3점 |

**06** 수학 **창의성**

| 관련 단원 | 3학년 1학기 5단원 길이와 시간 |
|---|---|
| 평가 영역 | 유창성, 독창성 |

**예시답안**

① 둘레의 길이를 알고 있는 작은 바퀴를 굽은 선 위로 굴려서 몇 바퀴 회전했는지 알아낸 후 바퀴 둘레의 길이와 곱한다. → 기리고차의 원리

② 지름을 알고 있는 구슬을 선을 따라 연속적으로 배열하고 사용된 구슬의 개수와 구슬의 지름을 곱해 길이를 구한다. → 단위길이 활용

③ 실을 굽은 선 위에 겹쳐놓고 시작 지점과 끝 지점을 표시한 후 실을 곧게 펴서 자로 길이를 잰다. → 다른 물건을 활용해 길이 측정

④ 클레이막대나 굵은 철사를 굽은 선 위에 겹쳐놓고 자른 후 무게를 측정한다. 10 cm일 때의 무게를 기준으로 하여 굽은 선의 길이를 구한다. → 다른 물건을 활용해 무게 측정

⑤ 굽은 선과 같은 검은 선을 그린 후 라인트레이서가 검은 선을 따라 움직이는데 걸린 시간을 측정한다. 라인트레이서의 빠르기와 굽은 선을 따라 움직이는 데 걸린 시간을 이용하여 굽은 선의 길이를 구한다. → 물체의 빠르기와 시간을 이용

**채점 기준** 총체적 채점

**유창성 [4점]** : 적절한 아이디어를 얼마나 많이 찾았는가?

| 적절한 아이디어의 수 | 점수 |
|---|---|
| 1가지 방법을 바르게 서술한 경우 | 1점 |
| 2가지 방법을 바르게 서술한 경우 | 2점 |
| 3가지 방법을 바르게 서술한 경우 | 4점 |

**독창성 [3점]** : 아이디어가 통계적으로 보아 얼마나 드물게 나타나고 또 특별한가?

| 채점 요소 | 점수 |
|---|---|
| 물체를 굽은 선 위에 겹쳐 길이를 직접 측정한 경우 | 1점 |
| 작은 물체를 기본 단위로 하여 배수를 이용하여 길이를 측정하는 등 독창적인 방법을 사용한 경우 | 3점 |

# 수학 | 문항별 채점 기준

**07** 수학 STEAM

| 관련 단원 | 4학년 2학기 4단원 사각형 |
|---|---|
| 평가 영역 | 문제 파악 능력, 문제 해결 능력 |

**(1)** 모범답안

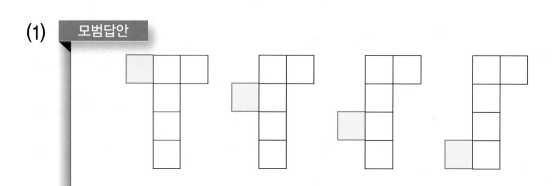

**(2)** 모범답안

8개

**해설**

큐브 퍼즐의 겉면에 페인트를 칠했을 때 3개의 면이 색칠되는 작은 정육면체의 개수는 큰 정육면체의 꼭짓점의 개수와 같다.

**채점 기준** 총체적 채점

**문제 파악 능력 [9점]** : 정육면체 전개도를 그릴 수 있는가?

| | 채점 요소 | 점수 |
|---|---|---|
| (1) | 1가지 방법을 바르게 그린 경우 | 1점 |
| | 2가지 방법을 바르게 그린 경우 | 2점 |
| | 3가지 방법을 바르게 그린 경우 | 4점 |
| | 4가지 방법을 바르게 그린 경우 | 6점 |
| (2) | 정답을 바르게 구한 경우 | 3점 |

(3)

① 주사위 : 모든 면의 수가 나올 가능성이 같아야 하기 때문이다.

② 쌓기나무, 각설탕, 치킨 무, 공간박스, 정육면체 모양 수박 : 어느 방향으로든 쌓을 수 있어야 하기 때문이다.

③ 인공어초, 공간 박스, 선물 상자 : 최소의 재료로 부피를 크게 만들 수 있기 때문이다.

▲ 주사위          ▲ 쌓기나무          ▲ 수박          ▲ 인공어초

**해설**

정육면체는 가로, 세로, 높이가 모두 같고, 정사각형으로 둘러싸여 있는 모양이다. 정육면체 모양은 방향에 관계없이 차곡차곡 쌓을 수 있어 보관이 편하다.

**채점 기준**    요소별 채점

**문제 해결 능력 [3점]** : 조건에 맞는 아이디어를 고안했는가?

| 채점 요소 | 점수 |
| --- | --- |
| 정육면체인 물건을 찾고 이유를 바르게 서술한 경우 | 3점 |
| 정육면체인 물건을 찾았지만 이유를 바르게 서술하지 않은 경우 | 1점 |

## 08 과학 **사고력**

| 관련 단원 | 3학년 2학기 2단원 동물의 생활 |
|---|---|
| 평가 영역 | 개념 이해력 |

### 예시답안

* 공통점
  ① 물에서 산다.
  ② 몸이 유선형이다.
  ③ 지느러미가 있다.
  ④ 새끼의 모습이 어미의 모습과 비슷하다.
* 차이점
  ① 상어는 아가미가 있고, 돌고래는 없다.
  ② 상어는 어류이고, 돌고래는 포유류이다.
  ③ 상어는 알을 낳고, 돌고래는 새끼를 낳는다.
  ④ 상어는 아가미로 호흡하고, 돌고래는 폐로 호흡한다.
  ⑤ 상어는 계속 물속에 있을 수 있지만 돌고래는 숨쉬기 위해 한 번씩 물 밖으로 나온다.
  ⑥ 상어는 체온이 변하지만 돌고래는 체온이 일정하다.
  ⑦ 상어의 꼬리지느러미는 등지느러미와 수직이지만, 돌고래의 꼬리지느러미는 등지느러미와 평행하다.

### 해설

돌고래와 상어는 둘 다 물속에 살지만, 돌고래는 폐호흡을 하며 새끼를 낳는 포유류이고, 상어는 아가미 호흡을 하며 알을 낳는 어류이다.

### 채점 기준  총체적 채점

**개념 이해력 [6점]** : 돌고래와 상어의 공통점과 차이점을 찾을 수 있는가?

| 적절한 아이디어의 수 | 점수 |
|---|---|
| 공통점을 바르게 서술한 경우 1가지당 | 1점 |
| 차이점을 바르게 서술한 경우 1가지당 | 1점 |

## 09 과학 **사고력**

| 관련 단원 | 3학년 2학기 5단원 소리의 성질 |
|---|---|
| 평가 영역 | 탐구 능력 |

### 예시답안

① 온도가 높을수록 소리를 더 빠르게 전달한다. → 0 ℃ 공기와 20 ℃ 공기 비교

② 기체보다 액체가 소리를 더 빠르게 전달한다. → 0 ℃ 공기와 0 ℃ 물 비교

③ 액체보다 고체가 소리를 더 빠르게 전달한다. → 20 ℃ 물과 20 ℃ 구리 비교

④ 기체가 가벼울수록 소리를 더 빠르게 전달한다. → 0 ℃ 공기와 20 ℃ 이산화 탄소 비교

⑤ 액체의 진하기가 진할수록 소리를 더 빠르게 전달한다. → 20 ℃ 물과 20 ℃ 바닷물 비교

### 해설

소리는 알갱이들의 간격이 좁을수록 잘 전달되기 때문에 기체>액체>고체 순으로 소리가 전달되는 빠르기가 빠르다. 온도가 높을수록 알갱이가 빠르게 움직여 소리를 전달하기 때문에 온도가 높을수록 소리가 전달되는 빠르기가 빠르다. 20 ℃ 이산화 탄소와 20 ℃ 공기에서 소리가 전달되는 거리를 비교하면 공기가 더 빠르므로 기체 알갱이가 가벼울수록 소리가 전달되는 빠르기가 빠르다. 20 ℃ 물과 20 ℃ 바닷물에서 소리가 전달되는 거리를 비교하면 바닷물이 더 빠르므로 많은 알갱이가 녹아 있어 액체의 진하기가 진할수록 소리가 전달되는 빠르기가 빠르다.

### 채점 기준  총체적 채점

**탐구 능력 [6점]** : 온도, 물질의 상태, 물질의 밀도, 진하기에 따른 소리의 속도를 비교할 수 있는가?

| 적절한 아이디어의 수 | 점수 |
|---|---|
| 1가지를 바르게 서술한 경우 | 1점 |
| 2가지를 바르게 서술한 경우 | 2점 |
| 3가지를 바르게 서술한 경우 | 3점 |
| 4가지를 바르게 서술한 경우 | 4점 |
| 5가지를 바르게 서술한 경우 | 6점 |

**❿ 과학 사고력**

| 관련 단원 | 4학년 1학기 3단원 식물의 한살이 |
| --- | --- |
| 평가 영역 | 개념 이해력 |

### 모범답안

* 싹이 트지 않은 실험군 : 가, 다, 라

* 이유
  ① 가 : 온도가 너무 낮기 때문이다.
  ② 다 : 물이 없기 때문이다.
  ③ 라 : 물이 너무 많아 현미가 공기와 접촉할 수 없기 때문이다.

### 해설

씨앗이 싹이 트기 위해서는 적당한 양의 물과 공기, 온도가 필요하다. 씨앗이 싹이 틀 때는 광합성을 하지 않고 씨앗에 저장된 양분을 사용하기 때문에 햇빛은 현미의 발아에 영향을 미치지 않는다.

### 채점 기준   요소별 채점

**개념 이해력 [6점]** : 씨앗이 싹이 틀 때 필요한 조건을 알고 있는가?

| 적절한 아이디어의 수 | 점수 |
| --- | --- |
| 싹이 트지 않은 실험군을 바르게 고른 경우 1가지당 | 1점 |
| 이유를 바르게 서술한 경우 1가지당 | 1점 |

## ⑪ 과학 **사고력**

| 관련 단원 | 4학년 2학기 2단원 물의 상태 변화 |
|---|---|
| 평가 영역 | 탐구 능력 |

### 모범답안

* 실험 목적에 맞는 실험 : [실험 5]
* 이유 : 얼음의 모양이 얼음이 녹는 시간에 미치는 영향을 알아보기 위한 것이므로, 얼음의 모양만 다르고 그 외 다른 조건은 모두 같아야 한다.

### 해설

* 실험 목적 : 얼음의 모양에 따른 녹는 시간
* 다르게 해야 할 조건 : 얼음의 모양
* 같게 해야 할 조건 : 얼음의 무게, 얼음의 양, 그릇의 종류, 온도 등 나머지 조건

### 채점 기준 　요소별 채점

**탐구 능력 [6점]** : 실험을 설계할 때, 통제 변인을 알고 있는가?

| 적절한 아이디어의 수 | 점수 |
|---|---|
| 실험 목적에 맞는 실험을 바르게 고른 경우 | 2점 |
| 얼음의 모양이 달라야 한다고 서술한 경우 | 2점 |
| 얼음의 모양 외 다른 조건은 같아야 한다고 서술한 경우 | 2점 |

## 12 과학 **창의성**

| 관련 단원 | 3학년 1학기 2단원 물질의 성질 |
|---|---|
| 평가 영역 | 유창성, 독창성 |

### 예시답안

① 책상＋텔레비전 → 책상 텔레비전 : 책상 아래쪽 비스듬하게 텔레비전을 설치하여 동영상 강의를 보는 독서실 책상을 만든다.

② 교과서＋스마트폰 → 전자교과서 : 교과서 내용을 전자화하여 스마트폰으로 보고, 인터넷으로 참고 사항이나 궁금한 점을 검색할 수 있다.

③ 드론＋스마트폰 → 스마트폰으로 조종하는 드론 : 스마트폰을 이용해 드론을 조종한다.

④ 드론＋책상 → 책상을 옮기는 드론 : 드론 4개를 책상 가장자리에 각각 부착하면 무거운 책상을 혼자서도 옮길 수 있다.

⑤ 교과서＋접착식 메모지 → 퀴즈 책 : 교과서에서 중요한 부분을 접착식 메모지로 가려 중요한 부분에 들어갈 내용을 맞히면서 공부한다.

⑥ 스마트폰＋접착식 메모지 → 스마트폰 모양의 접착식 메모지 : 스마트폰에 메모하는 느낌이 난다.

⑦ 텔레비전＋접착식 메모지 → 플렉서블 TV : 평소에는 둘둘 말아 보관하고 사용할 때 펴서 벽에 붙인다.

⑧ 책상＋스마트폰 → 스마트책상 : 책상 윗면에 스크린을 설치하고 인터넷을 연결하여 인터넷 검색, 무선충전, 테이블 등으로 사용한다.

▲ 책상 텔레비전

▲ 책상 옮기는 드론

▲ 플렉서블 TV

▲ 스마트책상

### 채점 기준 　총체적 채점

**유창성 [4점]** : 적절한 아이디어를 얼마나 많이 찾았는가?

| 적절한 아이디어의 수 | 점수 | 적절한 아이디어의 수 | 점수 |
|---|---|---|---|
| 1~2가지를 바르게 서술한 경우 | 1점 | 4가지를 바르게 서술한 경우 | 3점 |
| 3가지를 바르게 서술한 경우 | 2점 | 5가지를 바르게 서술한 경우 | 4점 |

**독창성 [3점]** : 아이디어가 통계적으로 보아 얼마나 드물게 나타나고 또 특별한가?

| 채점 요소 | 점수 |
|---|---|
| 기존에 있는 사물을 만든 경우 | 1점 |
| 기존에 없는 새로운 사물을 만든 경우 | 3점 |

**⑬ 과학 창의성**

| 관련 단원 | 4학년 2학기 2단원 물의 상태 변화 |
|---|---|
| 평가 영역 | 유창성, 독창성 |

### 예시답안

① 눈이 내리지 않을 것이다.

② 얼음이라는 단어가 없어질 것이다.

③ 얼음을 넣은 음료를 마시지 못할 것이다.

④ 얼음을 갈아서 만든 팥빙수를 먹지 못할 것이다.

⑤ 눈썰매나 스키 등을 타지 못할 것이다.

⑥ 얼음낚시를 할 수 없을 것이다.

⑦ 스케이트나 얼음 썰매를 탈 수 없을 것이다.

⑧ 얼음 조각품이 사라질 것이다.

⑨ 과거에 얼음을 보관하던 석빙고를 만들지 않았을 것이다.

⑩ 김연아 선수가 피겨스케이팅으로 올림픽에서 금메달을 따지 못했을 것이다.

⑪ 북극 얼음 위에서 사는 북극곰의 서식지가 달라질 것이다.

⑫ 극지방과 높은 산 위에 빙하가 없으므로 해수면이 상승할 것이다.

⑬ 겨울에 물이 얼면서 열을 방출하므로 온도가 많이 낮아지지 않는데 물이 얼지 않으면 더 추워질 것이다.

⑭ 액체 질소 대신 물을 매우 차갑게 만들어 냉각제로 사용할 수 있을 것이다.

⑮ 물이 얼면서 세포를 파괴하지 않으므로 냉동 인간을 만들 수 있을 것이다.

### 채점 기준  총체적 채점

**유창성 [5점]** : 적절한 아이디어를 얼마나 많이 찾았는가?

| 적절한 아이디어의 수 | 점수 |
|---|---|
| 바르게 서술한 경우 1가지당 | 0.5점 |

**독창성 [2점]** : 아이디어가 통계적으로 보아 얼마나 드물게 나타나고 또 특별한가?

| 채점 요소 | 점수 |
|---|---|
| 눈이 내리지 않는다. 얼음을 넣은 음료수를 먹지 못한다 등 얼음이 없을 때 나타날 수 있는 1차적인 현상을 서술한 경우 | 1점 |
| 해수면이 상승한다. 북극곰의 서식지가 달라진다 등 얼음이 없을 때 나타날 수 있는 2차적인 현상을 서술한 경우 | 2점 |

**14** 과학 STEAM

| 관련 단원 | 3학년 2학기 2단원 동물의 생활 / 4학년 2학기 1단원 식물의 생활 |
|---|---|
| 평가 영역 | 문제 파악 능력, 문제 해결 능력 |

(1)

**모범답안**

수영복 표면에 있는 미세 돌기를 따라 물살(소용돌이)이 만들어지고 이 물살이 표면을 흐르는 큰 물줄기를 막아주기 때문에 물의 저항이 줄어들어 더 빠르게 헤엄칠 수 있다.

**해설**

이 수영복 표면에는 상어 비늘을 본뜬 삼각형의 미세 돌기가 붙어 있다. 수영선수가 헤엄칠 때 수영복 표면에 있는 미세 돌기를 따라 물살(소용돌이)이 만들어지면서 수영선수는 미끄러지듯이 앞으로 나아가게 된다. 이 소용돌이 덕에 물체가 움직이는 방향의 반대 방향으로 가해지는 물의 저항이 줄어들므로 더 빠르게 헤엄칠 수 있다. 이 수영복은 100 m 기록을 0.2초나 단축했다. 0.01초를 다투는 신기록 경쟁에서 매우 획기적인 일이다. 이 수영복이 개발된 이후에 130여 개의 세계기록이 나올 정도로 효과가 탁월해 수영선수들에게 큰 인기 끌었으나, 첨단 제품의 힘을 빌려 기록을 단축한다는 비난 때문에 2010년부터는 금지됐다. 2012년 런던 올림픽에서는 국제수영연맹(FINA) 규정에 따라 남자는 허리에서 무릎까지, 여자는 어깨에서 무릎까지의 길이만 허용했다. 상어 비늘의 원리는 물 뿐만 아니라 공기 저항도 감소시킨다. 비행기 표면을 상어 비늘의 원리를 본뜬 필름으로 코팅하면 공기 저항을 많이 줄여 연간 총 450만 톤의 연료를 절감할 수 있고 오랜 시간 동안 무급유 비행도 가능하다. 상어 비늘의 원리는 항공기, 수영복, 잠수함, 자동차 등 공기와 물의 저항을 받는 운송수단에서 활발하게 이용되고 있다.

**채점 기준** 요소별 채점

**문제 파악 능력 [4점]** : 수영복 표면의 미세 돌기가 물의 저항에 미치는 영향을 알고 있는가?

| 채점 요소 | 점수 |
|---|---|
| 수영복 표면에 있는 미세 돌기의 역할을 바르게 서술한 경우 | 2점 |
| 수영복 표면에 있는 미세 돌기의 역할로 물의 저항이 줄어듦을 서술한 경우 | 1점 |
| 물의 저항이 줄어들어 더 빠르게 헤엄칠 수 있음을 서술한 경우 | 1점 |

**(2)**

① 벨크로 테이프(찍찍이)는 다른 물체에 잘 달라붙는 도꼬마리 열매의 갈고리와 걸림 고리를 이용하여 만들었다.

② 낙하산은 민들레 갓털이 바람을 타고 날아가는 모습을 모방하여 만들었다.

③ 레이다는 박쥐가 초음파를 이용해 물체를 감지하는 원리를 응용하여 만들었다.

④ 비행기 날개, 인공위성 외벽, 기차 내부 충격 장치(허니콤)는 가볍고 강도가 높으며 충격을 잘 흡수하는 벌집의 육각형 구조를 이용하여 만들었다.

⑤ 에펠탑은 인간의 뼈 중 가장 단단한 구조의 넙다리뼈의 구조를 이용하여 만들었다.

⑥ 방탄복은 강철보다 튼튼하며 신축성이 뛰어나고 높은 온도에서 잘 견디는 거미줄의 성질을 이용하여 만들었다.

⑦ 탱크의 철갑은 가벼우면서도 단단한 전복 껍데기의 성질을 이용하여 만들었다.

⑧ 유리창 청소 로봇은 도마뱀붙이의 발바닥이 벽이나 천장에 잘 들러붙는 성질 이용하여 만들었다.

⑨ 물속에서도 접착력을 유지하는 접착제(습식 접착제)는 홍합이 바위에 붙어 있는 접착력을 이용하여 만들었다.

⑩ 의료용 접착제는 줄기에서 잎과 마주하면서 돋아나는 공기 뿌리 끝이 작은 빨판처럼 생겨서 아무 곳에나 착 달라붙는 성질을 이용하여 만들었다.

⑪ 인명구조용 로봇은 도마뱀 발가락 표면에 극세모가 빽빽이 돋아나 있어(발가락 하나에 약 650만 개) 벽이나 천장에 들러붙어 걸을 수 있는 성질을 이용하여 만들었다.

⑫ 비행기 날개는 혹등고래의 가슴지느러미 가장자리의 돌기를 이용하여 만들었다. 혹등고래는 헤엄칠 때 가슴지느러미 가장자리 돌기 주변에 소용돌이가 생기고 이로 인해 부력이 커져 잘 가라앉지 않는다. 이를 비행기 날개에 이용하면 양력을 크게 받게 하여 잘 뜨게 할 수 있다.

⑬ 태양전지는 파리 눈의 표면에서 발견되는 굴곡 패턴이 반사를 줄이고 기울어진 각도로 들어오는 빛도 통과하게 하는 성질을 이용하여 만들었다.

⑭ 위조지폐를 막기 위해서 지폐를 인쇄할 때는 보는 각도에 따라 색이 달라지는 나비의 날개를 모방하여 만든 색 변환 잉크를 이용하여 만들었다.

**채점 기준**  총체적 채점

**문제 해결 능력 [8점]** : 문제점을 해결할 수 있는 아이디어를 고안했는가?

| 채점 요소 | 점수 |
| --- | --- |
| 예와 원리를 바르게 서술한 경우 1가지당 | 2점 |
| 예와 원리가 맞지 않거나 바르게 서술하지 않은 경우 1가지당 | 1점 |

모의고사 2회 평가 가이드

「창의적 문제해결력」 모의고사  3회

# 평가 가이드

**1** 수학·과학 문항 **구성** 및 **채점표**

**2** 문항별 **채점 기준**

| 평가 영역 문항 | 수학 사고력 | | 수학 창의성 | | 수학 STEAM | |
|---|---|---|---|---|---|---|
| | 개념 이해력 | 개념 응용력 | 유창성 | 독창성 | 문제 파악 능력 | 문제 해결 능력 |
| 1 | 점 | | | | | |
| 2 | | 점 | | | | |
| 3 | | 점 | | | | |
| 4 | 점 | | | | | |
| 5 | | | 점 | 점 | | |
| 6 | | | 점 | 점 | | |
| 7 | | | | | 점 | 점 |

| 평가 영역별 점수 | 개념 이해력 | 개념 응용력 | 유창성 | 독창성 | 문제 파악 능력 | 문제 해결 능력 |
|---|---|---|---|---|---|---|
| | | | | | | |
| | 수학 사고력 | | 수학 창의성 | | 수학 STEAM | |
| | / 24점 | | / 14점 | | / 12점 | |

| 수학 | | 총점 | |
|---|---|---|---|

● 평가 결과에 따른 학습 방향

**사고력**
- **21점 이상**  정확하게 답안을 작성하는 연습을 하세요.
- **14~20점**  교과 개념과 연관된 응용문제로 문제 적응력을 기르세요.
- **14점 미만**  틀린 문항과 관련된 교과 개념을 다시 공부하세요.

**창의성**
- **12점 이상**  보다 독창성 있는 아이디어를 내는 연습을 하세요.
- **8~11점**  다양한 관점의 아이디어를 더 내는 연습을 하세요.
- **8점 미만**  적절한 아이디어를 더 내는 연습을 하세요.

**STEAM**
- **10점 이상**  답안을 보다 구체적으로 작성하는 연습을 하세요.
- **7~9점**  문제 해결 방안의 아이디어를 다양하게 내는 연습을 하세요.
- **7점 미만**  실생활과 관련된 수학 기사로 수학적 사고를 확장하는 연습을 하세요.

| 평가 영역<br>문항 | 과학 사고력 | | 과학 창의성 | | 과학 STEAM | |
|---|---|---|---|---|---|---|
| | 개념 이해력 | 탐구 능력 | 유창성 | 독창성 | 문제 파악 능력 | 문제 해결 능력 |
| 8 | | 점 | | | | |
| 9 | | 점 | | | | |
| 10 | 점 | | | | | |
| 11 | 점 | | | | | |
| 12 | | | 점 | 점 | | |
| 13 | | | 점 | 점 | | |
| 14 | | | | | 점 | 점 |

| 평가 영역별<br>점수 | 개념 이해력 | 탐구 능력 | 유창성 | 독창성 | 문제 파악 능력 | 문제 해결 능력 |
|---|---|---|---|---|---|---|
| | | | | | | |
| | 과학 사고력 | | 과학 창의성 | | 과학 STEAM | |
| | / 24점 | | / 14점 | | / 12점 | |

| 과학 | 총점 | |
|---|---|---|
| | | |

● 평가 결과에 따른 학습 방향

**사고력**
- **21점 이상** 정확하게 답안을 작성하는 연습을 하세요.
- **14~20점** 교과 개념과 연관된 응용문제로 문제 적응력을 기르세요.
- **14점 미만** 틀린 문항과 관련된 교과 개념을 다시 공부하세요.

**창의성**
- **12점 이상** 보다 독창성 있는 아이디어를 내는 연습을 하세요.
- **8~11점** 다양한 관점의 아이디어를 더 내는 연습을 하세요.
- **8점 미만** 적절한 아이디어를 더 내는 연습을 하세요.

**STEAM**
- **10점 이상** 답안을 보다 구체적으로 작성하는 연습을 하세요.
- **7~9점** 문제 해결 방안의 아이디어를 다양하게 내는 연습을 하세요.
- **7점 미만** 실생활과 관련된 과학 기사로 과학적 사고를 확장하는 연습을 하세요.

# 수학 | 문항별 채점 기준

## ⑴ 수학 **사고력**

| 관련 단원 | 3학년 2학기 1단원 곱셈 |
|---|---|
| 평가 영역 | 개념 이해력 |

### 모범답안

18, 24, 29, 36, 38, 42, 46, 49, 63, 64, 66, 67, 76, 77, 79, 81, 83, 88, 92, 94, 97, 99

### 해설

두 자리 수의 각 숫자를 계속 곱해서 8이 되는 수는 다음과 같다.

```
8 ─┬─ 1×8 → 18 ─┬─ 2×9 → 29
   │            ├─ 3×6 → 36 ─┬─ 4×9 → 49 ─── 7×7 → 77
   │            │            ├─ 6×6 → 66
   │            │            └─ 9×4 → 94
   │            ├─ 6×3 → 63 ─┬─ 7×9 → 79
   │            │            └─ 9×7 → 97
   │            └─ 9×2 → 92
   ├─ 2×4 → 24 ─┬─ 3×8 → 38
   │            ├─ 4×6 → 46
   │            ├─ 6×4 → 64 ─── 8×8 → 88
   │            └─ 8×3 → 83
   ├─ 4×2 → 42 ─┬─ 6×7 → 67
   │            └─ 7×6 → 76
   └─ 8×1 → 81 ─── 9×9 → 99
```

### 채점 기준    총체적 채점

**개념 이해력 [6점]** : 곱셈을 이용하여 규칙에 맞는 수를 찾을 수 있는가?

| 적절한 아이디어의 수 | 점수 | 적절한 아이디어의 수 | 점수 |
|---|---|---|---|
| 1~5가지를 바르게 찾은 경우 | 1점 | 16~18가지를 바르게 찾은 경우 | 4점 |
| 6~10가지를 바르게 찾은 경우 | 2점 | 19~21가지를 바르게 찾은 경우 | 5점 |
| 11~15가지를 바르게 찾은 경우 | 3점 | 22가지를 바르게 찾은 경우 | 6점 |

**02** 수학 **사고력**

| 관련 단원 | 4학년 1학기 6단원 규칙 찾기 |
|---|---|
| 평가 영역 | 개념 응용력 |

**(1)** 모범답안

2201년 4월 43일

**(2)** 모범답안

2202년 3월 30일

해설

(1) 화성에서는 1년이 687일, 1달이 57~58일이면 2월은 53일이다.

212일을 화성의 날짜로 표현하면 1월 58일, 2월 53일, 3월 58일이고

$212-58-53-58=43$일이므로 2201년 4월 43일이다.

(2) $212+30+212=454$일이므로 1년(365일)이 지나고 $454-365=89$일이 더 지났다.

89일을 지구 날짜로 표현하면 1월 31일, 2월 28일이고

$89-31-28=30$이므로 2202년 3월 30일이다.

채점 기준    요소별 채점

**개념 응용력 [6점]** : 지구와 화성의 1달과 1년의 규칙성을 찾을 수 있는가?

| 채점 요소 | 점수 |
|---|---|
| (1)번을 바르게 구한 경우 | 3점 |
| (2)번을 바르게 구한 경우 | 3점 |

**03** 수학 **사고력**

| 관련 단원 | 4학년 1학기 3단원 곱셈과 나눗셈 |
|---|---|
| 평가 영역 | 개념 응용력 |

### 예시답안

| | | |
|---|---|---|
| $60 \div 12 = 5$ | $80 \div 16 = 5$ | $81 \div 27 = 3$ |
| $84 \div 12 = 7$ | $34 \div 17 = 2$ | $87 \div 29 = 3$ |
| $96 \div 12 = 8$ | $68 \div 17 = 4$ | $68 \div 34 = 2$ |
| $52 \div 13 = 4$ | $36 \div 18 = 2$ | $70 \div 35 = 2$ |
| $78 \div 13 = 6$ | $54 \div 18 = 3$ | $76 \div 38 = 2$ |
| $70 \div 14 = 5$ | $72 \div 18 = 4$ | $78 \div 39 = 2$ |
| $98 \div 14 = 7$ | $90 \div 18 = 5$ | $86 \div 43 = 2$ |
| $30 \div 15 = 2$ | $38 \div 19 = 2$ | $90 \div 45 = 2$ |
| $60 \div 15 = 4$ | $57 \div 19 = 3$ | $96 \div 48 = 2$ |
| $90 \div 15 = 6$ | $76 \div 19 = 4$ | |
| $48 \div 16 = 3$ | $78 \div 26 = 3$ | |

### 해설

나눗셈식 중 $36 \div 12 = 3$, $48 \div 12 = 4$와 같은 식은 답이 나누는 수의 숫자와 중복되므로 조건에 맞지 않는다.

### 채점 기준  총체적 채점

**개념 응용력 [6점]** : 나눗셈을 이용하여 조건에 맞는 식을 만들 수 있는가?

| 적절한 아이디어의 수 | 점수 | 적절한 아이디어의 수 | 점수 |
|---|---|---|---|
| 1~5가지를 바르게 만든 경우 | 1점 | 14~16가지를 바르게 만든 경우 | 4점 |
| 6~10가지를 바르게 만든 경우 | 2점 | 17~19가지를 바르게 만든 경우 | 5점 |
| 11~13가지를 바르게 만든 경우 | 3점 | 20가지를 바르게 만든 경우 | 6점 |

## 04 수학 **사고력**

| 관련 단원 | 3학년 1학기 1단원 덧셈과 뺄셈 |
| --- | --- |
| 평가 영역 | 개념 이해력 |

### 모범답안

50,000원

손님이 낸 50,000원은 위조지폐이므로 과일가게 주인은 식당 주인에게 50,000원을 빌려서 손님에게 거스름돈 42,000원을 준 것과 같다. 이후 식당 주인에게 50,000원을 갚았으므로 과일가게 주인이 손해 본 금액은 거스름돈 42,000원과 수박값 8,000원의 합인 50,000원이다.

### 해설

식당 주인에게 준 50,000원이 위조지폐이므로 50,000원을 빌렸다가 다시 준 것과 같다. 8,000원짜리 수박을 판매했을 때 과일가게 주인이 얻는 이익을 생각하면 50,000원보다 적다고 할 수 있다. 그러나 과일가게 주인의 인건비와 과일가게 운영비를 생각한다면 큰 차이가 없으므로 주어진 조건의 금액만으로 손해 본 금액을 계산한다.

### 채점 기준  요소별 채점

**개념 이해력 [6점]** : 손해 본 금액을 논리적으로 구할 수 있는가?

| 채점 요소 | 점수 |
| --- | --- |
| 손해 본 총 금액을 바르게 구한 경우 | 3점 |
| 이유를 바르게 서술한 경우 | 3점 |

**05** 수학 **창의성**

| 관련 단원 | 4학년 1학기 6단원 규칙 찾기 |
|---|---|
| 평가 영역 | 유창성, 독창성 |

### 예시답안

(1) 1  2  3  6  11  20  37  …

　　1, 2, 3을 순서대로 쓰고 앞의 세 수의 합이 다음 수가 되는 규칙이다.

(2) 1  3  5  6  9  9  13  12  17  15  …

　　홀수 번째 수는 1, 5, 9, 13, 17, …로 4씩 커지고,

　　짝수 번째 수는 3, 6, 9, 12, 15, …로 3씩 커지는 규칙이다.

### 채점 기준  총체적 채점

**유창성 [4점]** : 적절한 아이디어를 얼마나 많이 찾았는가?

| 적절한 아이디어의 수 | 점수 |
|---|---|
| 바르게 서술한 경우 1가지당 | 2점 |

**독창성 [3점]** : 아이디어가 통계적으로 보아 얼마나 드물게 나타나고 또 특별한가?

| 채점 요소 | 점수 |
|---|---|
| 수열의 규칙이 한 가지로 단순한 경우 | 1점 |
| 수열의 규칙이 두 가지 이상으로 복잡하거나 수의 배열이 독창적인 경우 | 3점 |

# 수학 | 문항별 채점 기준

## 06 수학 **창의성**

| 관련 단원 | 4학년 2학기 2단원 삼각형 |
|---|---|
| 평가 영역 | 유창성, 독창성 |

### 예시답안

① 트라이앵글 : 일정하게 아름다운 소리를 내기 위해서이다.

② 모종삽 : 땅을 파는 힘을 삽 끝부분에 집중시켜 효율적으로 사용하기 위해서이다.

③ 철교 프레임 : 삼각형 모양이 힘을 잘 분산하므로 삼각형 모양을 이어 트러스 구조로 만든다.

④ 요트의 삼각형 돛 : 삼각형 모양의 돛이 사각형 모양의 돛보다 바람을 잘 이용할 수 있고 돛을 조정하기 쉽기 때문이다.

⑤ 오징어 지느러미 : 물의 저항을 줄이기 위해서이다.

⑥ 이동하는 철새 떼 : 공기 저항을 줄이기 위해서이다.

⑦ 전투 비행기(스텔스기) : 공기 저항을 줄이기 위해서이다.

⑧ 아이스크림콘 : 손으로 잡기 쉽고 실제보다 많이 있는 것처럼 보이기 위해 원뿔 형태로 만든다. 원뿔의 단면은 삼각형이다.

⑨ 화산 단면 : 분화구에서 흘러나온 화산분출물이 쌓여 원뿔 형태의 화산을 만든다. 원뿔의 단면은 삼각형이다.

⑩ 한옥 지붕 모양 : 삼각형 지붕 안쪽 빈 공간의 공기가 단열 효과를 크게 하기 때문이다.

⑪ 방파제 돌 모양 : 무게 중심이 가장 아래에 있어 안전하고 빈틈없이 쌓을 수 있기 때문에 사면체로 만든다. 사면체의 단면은 삼각형이다.

### 채점 기준 총체적 채점

**유창성 [4점]** : 적절한 아이디어를 얼마나 많이 찾았는가?

| 적절한 아이디어의 수 | 점수 | 적절한 아이디어의 수 | 점수 |
|---|---|---|---|
| 1~2가지를 바르게 서술한 경우 | 1점 | 5~6가지를 바르게 서술한 경우 | 3점 |
| 3~4가지를 바르게 서술한 경우 | 2점 | 7가지를 바르게 서술한 경우 | 4점 |

**독창성 [3점]** : 아이디어가 통계적으로 보아 얼마나 드물게 나타나고 또 특별한가?

| 채점 요소 | 점수 |
|---|---|
| 2차원 평면 삼각형 모양만 서술한 경우 | 1점 |
| 3차원 도형의 단면 모양이 삼각형 모양인 경우를 서술한 경우 | 3점 |

# 수학 | 문항별 채점 기준

## 07 수학 STEAM

| 관련 단원 | 4학년 1학기 6단원 규칙 찾기 |
|---|---|
| 평가 영역 | 문제 파악 능력, 문제 해결 능력 |

**(1)** 모범답안

9가지

민규가 가위를 낸 경우, 승아가 가위, 바위, 보를 낼 수 있다. −3가지

민규가 바위를 낸 경우, 승아가 가위, 바위, 보를 낼 수 있다. −3가지

민규가 보를 낸 경우, 승아가 가위, 바위, 보를 낼 수 있다. −3가지

**(2)** 모범답안

28변

모든 학생이 조원 모두와 가위바위보를 해야 하므로 7+6+5+4+3+2+1=28이다.

채점 기준 　요소별 채점

**문제 파악 능력 [9점]** : 조건에 맞는 경우의 수를 구할 수 있는가?

| | 채점 요소 | 점수 |
|---|---|---|
| (1) | 답을 바르게 구하고 풀이 과정을 바르게 서술한 경우 | 6점 |
| | 답만 바르게 구하거나 풀이 과정을 바르게 서술하지 않은 경우 | 3점 |
| (2) | 답을 바르게 구하고 풀이 과정을 바르게 서술한 경우 | 3점 |
| | 답만 바르게 구하거나 풀이 과정을 바르게 서술하지 않은 경우 | 1점 |

(3)

① 전략 : 남학생과 가위바위보를 할 때는 보를 먼저 낸다.

　이유 : 남학생들은 처음에 바위를 내는 경우가 많기 때문이다.

② 전략 : 아무거나 낸다.

　이유 : 상대가 내가 내는 모양을 예상하지 못하도록 규칙 없이 낸다.

③ 전략 : 비긴 경우에는 비긴 것의 지는 것을 낸다.

　이유 : 상대는 비겼을 때 내가 낸 모양의 이기는 것을 내는 경우가 많기 때문이다.

**채점 기준** 요소별 채점

**문제 해결 능력 [3점]** : 조건에 맞는 아이디어를 고안했는가?

| 채점 요소 | 점수 |
| --- | --- |
| 전략과 이유를 바르게 서술한 경우 | 3점 |
| 전략만 바르게 서술하거나 이유를 바르게 서술하지 않은 경우 | 1점 |

**08** 과학 **사고력**

| 관련 단원 | 3학년 2학기 4단원 물질의 상태 |
|---|---|
| 평가 영역 | 탐구 능력 |

### 모범답안

① 크기가 다른 삼각플라스크 : 액체의 부피를 비교하기 위해서는 크기와 모양이 같은 그릇을 사용해야 하기 때문이다.

② 전자저울 : 전자저울은 무게를 측정하는 도구이기 때문이다.

### 해설

액체의 부피를 비교할 때는 크기와 모양이 같은 그릇을 사용하거나, 눈금이 있는 그릇을 사용해야 한다.

### 채점 기준 　요소별 채점

**탐구 능력 [6점]** : 액체의 부피를 측정하는 실험 기구를 알고 있는가?

| 채점 요소 | 점수 |
|---|---|
| 크기가 다른 삼각플라스크를 고른 경우 | 1점 |
| 크기가 다른 삼각플라스크를 고른 이유를 바르게 서술한 경우 | 2점 |
| 전자저울을 고른 경우 | 1점 |
| 전자저울을 고른 이유를 바르게 서술한 경우 | 2점 |

**09** 과학 **사고력**

| 관련 단원 | 3학년 2학기 2단원 동물의 생활 |
|---|---|
| 평가 영역 | 탐구 능력 |

### 예시답안

① 뼈가 있는 동물과 없는 동물

② 꼬리가 있는 동물과 없는 동물

③ 더듬이가 있는 동물과 없는 동물

④ 이빨이 있는 동물과 없는 동물

⑤ 날개가 있는 동물과 없는 동물

⑥ 새끼를 낳는 동물과 알을 낳는 동물

⑦ 내 손보다 몸집이 큰 동물과 작은 동물

⑧ 탈바꿈을 하는 동물과 하지 않는 동물

⑨ 다리가 6개인 동물과 아닌 동물

⑩ 폐호흡을 하는 동물과 아닌 동물

⑪ 척추가 있는 동물과 없는 동물

⑫ 몸이 딱딱한 껍데기로 이루어진 동물과 아닌 동물

⑬ 새끼의 모습이 어미의 모습과 비슷한 동물과 아닌 동물

⑭ 코가 있는 동물과 없는 동물

### 해설

사람에 따라 분류 결과가 달라지는 것은 분류 기준으로 적당하지 않다. 주관적인 분류 기준은 적절한 분류 기준으로 채점하지 않는다. **예** 귀여운 동물과 아닌 동물

### 채점 기준  총체적 채점

**탐구 능력 [6점]** : 적절한 분류 기준을 다양하게 찾을 수 있는가?

| 적절한 아이디어의 수 | 점수 | 적절한 아이디어의 수 | 점수 |
|---|---|---|---|
| 1~2가지를 바르게 서술한 경우 | 1점 | 7~8가지를 바르게 서술한 경우 | 4점 |
| 3~4가지를 바르게 서술한 경우 | 2점 | 9가지를 바르게 서술한 경우 | 5점 |
| 5~6가지를 바르게 서술한 경우 | 3점 | 10가지를 바르게 서술한 경우 | 6점 |

## ⑩ 과학 사고력

| 관련 단원 | 4학년 2학기 1단원 식물의 생활 |
|---|---|
| 평가 영역 | 개념 이해력 |

### 모범답안

* 장미 : 동물로부터 자신을 보호하기 위해 줄기가 가시로 변하였다.
* 선인장 : 건조한 환경에 적응하기 위해 잎이 가시로 변하였다. 또는 잎의 증산 작용으로 인한 체내 수분 증발을 막기 위해 잎이 가시로 변하였다.

### 해설

장미의 가시는 줄기가 변한 것이고, 선인장의 가시는 잎이 변한 것이다. 장미와 선인장의 가시는 제 몸을 보호하는 역할을 하지만, 각각 변한 기관이 다르다.

### 채점 기준　요소별 채점

**개념 이해력 [6점]** : 식물체의 일부분이 가시로 변한 이유를 알고 있는가?

| 채점 요소 | 점수 |
|---|---|
| 장미의 가시는 식물의 줄기가 변한 것임을 서술한 경우 | 1점 |
| 장미의 줄기가 가시로 변한 이유를 바르게 서술한 경우 | 2점 |
| 선인장의 가시는 식물의 잎이 변한 것임을 서술한 경우 | 1점 |
| 선인장의 잎이 가시로 변한 이유를 바르게 서술한 경우 | 2점 |

**11** 과학 **사고력**

| 관련 단원 | 4학년 2학기 4단원 화산과 지진 |
|---|---|
| 평가 영역 | 개념 이해력 |

### 모범답안

(1) 마그마가 지표로 흘러나와 빠르게 굳으면서 생성되어 알갱이 크기가 작다.

(2) 마그마가 지표로 흘러나와 빠르게 굳을 때 마그마에 있던 기체가 빠져나가지 못하면 기체가 갇혀 있던 곳에 크고 작은 구멍이 생긴다.

### 해설

맷돌은 주로 현무암으로 만든다. 현무암은 검은색이나 회색이며, 알갱이의 크기가 매우 작고 표면은 거칠거칠하다. 또한, 표면에는 크고 작은 구멍이 있다. 현무암은 마그마가 지표로 흘러나와 빠르게 굳어져 만들어진다. 이때 마그마에 있던 기체가 빠져나가지 못하면 기체가 갇혀 있던 곳에 크고 작은 구멍이 생긴다.

### 채점 기준  요소별 채점

**개념 이해력 [6점]** : 현무암의 특징과 특징이 나타나는 원인을 알고 있는가?

| 적절한 아이디어의 수 | 점수 |
|---|---|
| (1)을 바르게 바르게 서술한 경우 | 3점 |
| (2)를 바르게 서술한 경우 | 3점 |

## ⑫ 과학 **창의성**

| 관련 단원 | 3학년 2학기 4단원 물질의 상태 |
|---|---|
| 평가 영역 | 유창성, 독창성 |

### 예시답안

① 온도가 낮으므로 낮은 온도와 급격한 온도 변화에 견딜 수 있는 기능이 필요하다.

② 공기가 희박하므로 산소를 공급할 수 있는 기능이 필요하다.

③ 공기가 희박하므로 내부 공기압을 높여 지상과 비슷한 기압을 유지할 수 있는 기능이 필요하다.

④ 자유낙하 시 발생하는 마찰열을 견딜 수 있는 단열 기능이 필요하다.

### 해설

지상으로부터 약 40 km 지점의 기온은 −60 ℃ 정도이다. 바움가르트너는 자유 낙하를 할 때 급격한 기압과 온도 변화, 마찰열로부터 자신을 보호하기 위해 특별히 제작된 특수복을 입었다. 이 옷은 내부 공기압을 인위적으로 높여 지상과 비슷한 기압을 유지해 주는 여압복으로, 외피는 −20~56 ℃에 이르는 찬 공기와 자유낙하 시 발생하는 마찰열로부터 인체를 보호하기 위해 세라믹, 광섬유와 같은 비금속 단열 소재를 사용하였다.

### 채점 기준  총체적 채점

**유창성 [4점]** : 문제를 해결을 위한 적절한 방법을 얼마나 많이 고안하는가?

| 적절한 아이디어의 수 | 점수 |
|---|---|
| 1가지를 바르게 서술한 경우 | 1점 |
| 2가지를 바르게 서술한 경우 | 2점 |
| 3가지를 바르게 서술한 경우 | 4점 |

**독창성 [3점]** : 아이디어가 통계적으로 보아 얼마나 드물게 나타나고 또 특별한가?

| 채점 요소 | 점수 |
|---|---|
| 호흡을 위한 산소에 관해 서술한 경우 | 1점 |
| 온도와 압력 변화 등 다양한 관점에서 서술한 경우 | 3점 |

**⑬ 과학 창의성**

| 관련 단원 | 4학년 2학기 1단원 식물의 생활 |
|---|---|
| 평가 영역 | 유창성, 독창성 |

### 예시답안

① 이산화 탄소량이 늘어나 지구 온난화가 심해질 것이다.

② 지구 온난화로 인한 기상 변화 등이 나타날 것이다.

③ 지구 온난화로 사막화가 점점 심해질 것이다.

④ 지구의 산소량이 줄어들 것이다.

⑤ 광합성량이 줄어들어 동물의 먹이가 줄어들 것이다.

⑥ 생태계 파괴로 많은 동식물이 멸종할 것이다.

⑦ 산소량이 줄어들어 금속이 녹이 잘 슬지 않을 것이다.

⑧ 산소량이 줄어들어 동물들의 심장 박동수가 늘어나거나 적혈구가 늘어날 것이다.

### 해설

식물이 줄어들면 이산화 탄소의 증가로 지구 온난화가 가속화될 뿐만 아니라 그로 인한 자연계의 기상 변화와 생태계 파괴로 많은 생물자원과 동식물이 멸종하게 될 것이다.

### 채점 기준   총체적 채점

**유창성 [5점]** : 문제에서 요구하는 적절한 예상을 얼마나 많이 고안하는가?

| 적절한 아이디어의 수 | 점수 |
|---|---|
| 바르게 서술한 경우 1가지당 | 1점 |

**독창성 [2점]** : 아이디어가 통계적으로 보아 얼마나 드물게 나타나고 또 특별한가?

| 채점 요소 | 점수 |
|---|---|
| 식물의 감소가 동물에게 미치는 영향을 서술한 경우 | 1점 |
| 식물의 감소가 지구 온난화에 미치는 영향 등 독창적인 것을 서술한 경우 | 2점 |

**14** 과학 STEAM

| 관련 단원 | 3학년 2학기 4단원 물질의 상태 |
|---|---|
| 평가 영역 | 문제 파악 능력, 문제 해결 능력 |

(1)

### 모범답안

빨래의 양에 따라 정해진 세제의 양을 사용하지 않고 많이 사용해서 환경오염이 발생하는 것과 같이 약의 부피를 정확하게 측정하지 않고 어림하여 약을 먹이면 큰 부작용을 불러일으킬 수 있다.

### 해설

어린이 약물 부작용은 성인의 2배 정도로 높다. 어린이는 간의 대사 기능과 신장의 배설 기능이 어른에 비해 약하므로 어린이 전용 약을 먹어야 하며, 아프다고 약을 2배 이상 복용하지 않아야 한다. 또한, 어린이에게 성인용 약을 잘라서 먹이지 않아야 한다. 어린이가 성인용 아스피린을 먹으면 뇌와 간 손상으로 뇌의 기능이 저하되는 레이 증후군이 나타날 수 있다.

### 채점 기준   요소별 채점

**문제 파악 능력 [4점]** : 액체의 부피를 정확하게 측정해야 하는 이유를 알고 있는가?

| 채점 요소 | 점수 |
|---|---|
| 문제점을 정확하게 찾고, 세제의 양과 관련지어 서술한 경우 | 4점 |
| 문제점을 정확하게 찾았으나 세제의 양과 관련지어 서술하지 않은 경우 | 3점 |
| 문제점을 찾았으나 정확하지 않은 경우 | 2점 |

(2)

① 한약처럼 1회분씩 약을 비닐 팩이나 약병에 넣어 준다.

② 1회분 약의 양에 맞는 계량스푼을 주고, 사용법을 쉽게 설명해 준다.

③ 약을 많이 먹이거나 적게 먹이는 경우 발생할 수 있는 부작용을 부모에게 설명하여 정확한 양을 먹이도록 한다.

**채점 기준** 총체적 채점

**문제 해결 능력 [8점]** : 문제점을 해결할 수 있는 아이디어를 고안했는가?

| 채점 요소 | 점수 |
| --- | --- |
| 바르게 서술한 경우 1가지당 | 4점 |
| 아이디어를 서술했지만 바르지 않은 경우 1가지당 | 1점 |

모의고사 3회 평가 가이드

「창의적 문제해결력」 모의고사 4회

# 평가 가이드

1. 수학·과학 문항 **구성** 및 **채점표**

2. 문항별 **채점 기준**

| 평가 영역<br>문항 | 수학 사고력 | | 수학 창의성 | | 수학 STEAM | |
|---|---|---|---|---|---|---|
| | 개념 이해력 | 개념 응용력 | 유창성 | 독창성 | 문제 파악 능력 | 문제 해결 능력 |
| 1 | | 점 | | | | |
| 2 | 점 | | | | | |
| 3 | | 점 | | | | |
| 4 | 점 | | | | | |
| 5 | | | 점 | 점 | | |
| 6 | | | 점 | 점 | | |
| 7 | | | | | 점 | 점 |

| 평가 영역별<br>점수 | 개념 이해력 | 개념 응용력 | 유창성 | 독창성 | 문제 파악 능력 | 문제 해결 능력 |
|---|---|---|---|---|---|---|
| | | | | | | |
| | 수학 사고력 | | 수학 창의성 | | 수학 STEAM | |
| | / 24점 | | / 14점 | | / 12점 | |

| 수학 | | 총점 | |
|---|---|---|---|

● 평가 결과에 따른 학습 방향

**사고력**
- **21점 이상** 정확하게 답안을 작성하는 연습을 하세요.
- **14~20점** 교과 개념과 연관된 응용문제로 문제 적응력을 기르세요.
- **14점 미만** 틀린 문항과 관련된 교과 개념을 다시 공부하세요.

**창의성**
- **12점 이상** 보다 독창성 있는 아이디어를 내는 연습을 하세요.
- **8~11점** 다양한 관점의 아이디어를 더 내는 연습을 하세요.
- **8점 미만** 적절한 아이디어를 더 내는 연습을 하세요.

**STEAM**
- **10점 이상** 답안을 보다 구체적으로 작성하는 연습을 하세요.
- **7~9점** 문제 해결 방안의 아이디어를 다양하게 내는 연습을 하세요.
- **7점 미만** 실생활과 관련된 수학 기사로 수학적 사고를 확장하는 연습을 하세요.

| 평가 영역 문항 | 과학 사고력 | | 과학 창의성 | | 과학 STEAM | |
|---|---|---|---|---|---|---|
| | 개념 이해력 | 탐구 능력 | 유창성 | 독창성 | 문제 파악 능력 | 문제 해결 능력 |
| 8 | | 점 | | | | |
| 9 | 점 | | | | | |
| 10 | 점 | | | | | |
| 11 | | 점 | | | | |
| 12 | | | 점 | 점 | | |
| 13 | | | 점 | 점 | | |
| 14 | | | | | 점 | 점 |

| 평가 영역별 점수 | 개념 이해력 | 탐구 능력 | 유창성 | 독창성 | 문제 파악 능력 | 문제 해결 능력 |
|---|---|---|---|---|---|---|
| | | | | | | |
| | 과학 사고력 | | 과학 창의성 | | 과학 STEAM | |
| | / 24점 | | / 14점 | | / 12점 | |

| 수학 | | 총점 | |
|---|---|---|---|

● 평가 결과에 따른 학습 방향

| 사고력 | 21점 이상 | 정확하게 답안을 작성하는 연습을 하세요. |
|---|---|---|
| | 14~20점 | 교과 개념과 연관된 응용문제로 문제 적응력을 기르세요. |
| | 14점 미만 | 틀린 문항과 관련된 교과 개념을 다시 공부하세요. |

| 창의성 | 12점 이상 | 보다 독창성 있는 아이디어를 내는 연습을 하세요. |
|---|---|---|
| | 8~11점 | 다양한 관점의 아이디어를 더 내는 연습을 하세요. |
| | 8점 미만 | 적절한 아이디어를 더 내는 연습을 하세요. |

| STEAM | 10점 이상 | 답안을 보다 구체적으로 작성하는 연습을 하세요. |
|---|---|---|
| | 7~9점 | 문제 해결 방안의 아이디어를 다양하게 내는 연습을 하세요. |
| | 7점 미만 | 실생활과 관련된 과학 기사로 과학적 사고를 확장하는 연습을 하세요. |

**01** 수학 **사고력**

| 관련 단원 | 3학년 2학기 1단원 곱셈 |
|---|---|
| 평가 영역 | 개념 응용력 |

### 예시답안

* $6 \times 7 - 4 - 2 - 1 = 35$
* $6 \times 7 + 2 - 8 - 1 = 35$
* $6 \times 7 + 4 - 9 - 2 = 35$
* $4 \times 9 + 6 - 8 + 1 = 35$
* $4 \times 9 + 8 - 7 - 2 = 35$
* $4 \times 9 + 1 + 6 - 8 = 35$
* $4 \times 8 + 1 + 9 - 7 = 35$
* $4 \times 8 + 2 + 7 - 6 = 35$
* $4 \times 8 + 6 - 2 - 1 = 35$

* $4 \times 7 + 1 + 8 - 2 = 35$
* $4 \times 7 + 2 + 6 - 1 = 35$
* $4 \times 7 + 6 + 9 - 8 = 35$
* $4 \times 6 + 8 + 2 + 1 = 35$
* $6 \times 7 \times 1 + 2 - 9 = 35$
* $4 \times 9 \times 1 + 7 - 8 = 35$
* $4 \times 8 \times 1 + 9 - 6 = 35$
* $4 \times 7 \times 1 + 9 - 2 = 35$

### 해설

조건 ②에서 하나의 그림에 같은 숫자를 여러 번 적을 수 없으므로 네모 칸에 3, 5를 제외한다. 따라서 $5 \times 7 + 3 - 2 - 1 = 35$의 계산식은 조건에 맞지 않는다.
곱셈에서 숫자 순서를 바꾼 것($6 \times 7 = 7 \times 6$)과
덧셈과 뺄셈의 숫자 순서를 바꾼 것($2 + 6 - 1 = 2 - 1 + 6 = 6 - 1 + 2$)은 같은 계산식이므로 1가지로 생각한다.

### 채점 기준  요소별 채점

**개념 응용력 [6점]** : 덧셈, 뺄셈, 곱셈을 이용하여 규칙에 맞는 수를 찾을 수 있는가?

| 적절한 아이디어 수 | 점수 |
|---|---|
| 바르게 만든 경우 1가지당 | 3점 |

**02** 수학 **사고력**

| 관련 단원 | 4학년 2학기 4단원 사각형 |
| --- | --- |
| 평가 영역 | 개념 이해력 |

### 모범답안

* 색칠된 직사각형의 가로와 세로의 길이 차 : 2 cm
* 정사각형 ㄱㄴㄷㄹ의 둘레 : 56 cm

### 해설

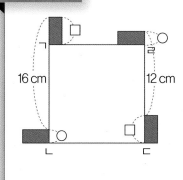

색칠된 작은 사각형의 긴 변의 길이를 ☐, 짧은 변의 길이를 ○라고 하면,

(정사각형의 왼쪽 변의 길이)=16−☐+○이고,

(정사각형의 오른쪽 변의 길이)=12−○+☐이다.

정사각형은 네 변의 길이가 같으므로

16−☐+○=12−○+☐

☐−○=2(cm)이다.

(정사각형의 왼쪽 변의 길이)+(정사각형의 오른쪽 변의 길이)

=16−☐+○+12−○+☐=28(cm)이므로

정사각형의 둘레는 28×2=56(cm)이다.

### 채점 기준  요소별 채점

**개념 이해력 [6점]** : 정사각형은 네 변의 길이가 모두 같음을 알고 있는가?

| 채점 요소 | 점수 |
| --- | --- |
| 색칠된 직사각형의 가로와 세로의 길이 차를 바르게 구한 경우 | 3점 |
| 정사각형 ㄱㄴㄷㄹ의 둘레 길이를 바르게 구한 경우 | 3점 |

## 03 수학 **사고력**

| 관련 단원 | 4학년 2학기 6단원 다각형 |
|---|---|
| 평가 영역 | 개념 응용력 |

**모범답안**

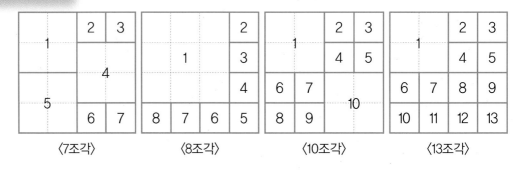

〈7조각〉　　〈8조각〉　　〈10조각〉　　〈13조각〉

**해설**

조건에 맞게 정사각형의 개수를 찾는다. 정사각형은 겹쳐지지 않게 빈틈없이 채워야 하며, 정사각형의 위치는 달라질 수 있다.

**채점 기준** 총체적 채점

**개념 응용력 [6점]** : 작은 정사각형 모양으로 큰 정사각형을 채울 수 있는가?

| 채점 요소 | 점수 |
|---|---|
| 1가지를 바르게 나타낸 경우 | 1점 |
| 2가지를 바르게 나타낸 경우 | 2점 |
| 3가지를 바르게 나타낸 경우 | 4점 |
| 4가지를 바르게 나타낸 경우 | 6점 |

**04** 수학 **사고력**

| 관련 단원 | 4학년 2학기 5단원 꺾은선그래프 |
|---|---|
| 평가 영역 | 개념 이해력 |

**모범답안**

17 L

0~6분 동안 수도꼭지 (나)로 140−86=54(L)의 물이 빠졌으므로

수도꼭지 (나)는 1분 동안 54÷6=9(L)의 물이 빠진다.

6~11분 동안 물의 양이 126−86=40(L) 많아졌으므로

1분 동안 40÷5=8(L)의 물이 채워졌다.

따라서 수도꼭지 (가)에서는 8+9=17(L)의 물이 나온다.

**해설**

수도꼭지 (가)로 물을 넣은 때는 물의 양이 증가한 6~11분 동안이다.

**채점 기준** 요소별 채점

**개념 이해력 [6점]** : 꺾은선 그래프의 변화를 해석할 수 있는가?

| 채점 요소 | 점수 |
|---|---|
| 1분 동안 수도꼭지 (나)에서 나오는 물의 양을 서술한 경우 | 2점 |
| 수도꼭지 (가)와 (나)를 모두 사용했을 때 1분 동안 채워지는 물의 양을 서술한 경우 | 2점 |
| 1분 동안 수도꼭지 (가)에서 나오는 물의 양을 바르게 서술한 경우 | 2점 |

**05** 수학 **창의성**

| 관련 단원 | 4학년 2학기 6단원 다각형 |
|---|---|
| 평가 영역 | 유창성, 독창성 |

### 예시답안

① 이웃하는 공들을 서로 연결하여 만들어지는 오각형의 둘레를 구한다.

② 모든 공을 별 모양으로 연결하여 별 모양 도형의 둘레를 구한다.

③ 모든 공을 서로 연결하여 공들 사이의 거리를 측정하여 더한 후 연결한 선의 수로 나누어 평균 거리를 구한다.

④ 가장 거리가 먼 두 공 사이의 거리를 잰다.

⑤ 이웃하지 않는 공들을 대각선으로 연결하고, 그 길이의 평균값을 구한다.

⑥ 다섯 개의 공을 연결하여 만든 오각형 가운데에 한 점을 찍고, 그 점에서 다섯 개의 공까지의 거리의 합을 구한다.

⑦ 다섯 개의 공을 모두 포함할 수 있는 원을 그린 후 반지름을 잰다.

⑧ 일정한 반지름의 원을 그린 후 원에 포함되지 않는 공의 수를 센다.

### 해설

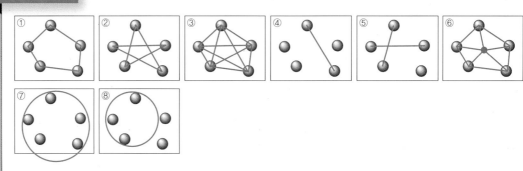

### 채점 기준  총체적 채점

**유창성 [5점]** : 적절한 아이디어를 얼마나 많이 찾았는가?

| 적절한 아이디어의 수 | 점수 |
|---|---|
| 바르게 서술한 경우 1가지당 | 1점 |

**독창성 [2점]** : 아이디어가 통계적으로 보아 얼마나 드물게 나타나고 또 특별한가?

| 채점 요소 | 점수 |
|---|---|
| 다섯 개의 공을 모두 연결한 후 결과를 비교하는 방법을 서술한 경우 | 1점 |
| 몇 개의 공만 선택하거나 원을 그리는 방법 등 독창적인 방법을 서술한 경우 | 2점 |

## 06 수학 **창의성**

| 관련 단원 | 4학년 2학기 4단원 사각형 |
|---|---|
| 평가 영역 | 유창성, 독창성 |

### 예시답안

① 직사각형 모양이다.

② 상하, 좌우대칭이다.

③ 크기와 모양이 다른 사각형을 5개 찾을 수 있다.

④ 원을 찾을 수 있다.

⑤ 직각을 찾을 수 있다.

⑥ 평행한 선을 찾을 수 있다.

⑦ 경기장 양쪽 끝으로 갈수록 사각형 모양이 점점 작아진다.

### 채점 기준  총체적 채점

**유창성 [5점]** : 적절한 아이디어를 얼마나 많이 찾았는가?

| 적절한 아이디어의 수 | 점수 |
|---|---|
| 1가지를 바르게 서술한 경우 | 1점 |
| 2가지를 바르게 서술한 경우 | 3점 |
| 3가지를 바르게 서술한 경우 | 5점 |

**독창성 [2점]** : 아이디어가 통계적으로 보아 얼마나 드물게 나타나고 또 특별한가?

| 채점 요소 | 점수 |
|---|---|
| 사각형, 원 등 도형의 모양만 서술한 경우 | 1점 |
| 대칭, 직각, 평행한 선 등 독창적인 것을 서술한 경우 | 2점 |

**07** 수학 STEAM

| 관련 단원 | 4학년 2학기 5단원 꺾은선그래프 |
|---|---|
| 평가 영역 | 문제 파악 능력, 문제 해결 능력 |

(1) **모범답안**

20회

1회 분열할 때마다 2개의 새로운 개체가 되므로 100만 배가 되려면 다음 표와 같이 약 20회 분열해야 한다.

| 분열 횟수 | 1 | 2 | 3 | 4 | 5 | 6 | 7 | 8 | 9 | 10 |
|---|---|---|---|---|---|---|---|---|---|---|
| 개수 | 2 | 4 | 8 | 16 | 32 | 64 | 128 | 256 | 512 | 1,024 |
| 분열 횟수 | 11 | 12 | 13 | 14 | 15 | 16 | 17 | 18 | 19 | 20 |
| 개수 | 2,048 | 4,096 | 8,192 | 16,384 | 32,768 | 65,536 | 131,072 | 262,144 | 524,288 | 1,048,576 |

(2) **모범답안**

4시간 동안 20회 분열하므로 1회 분열하는데 걸린 시간은 4시간×60분÷20회＝12분이다.

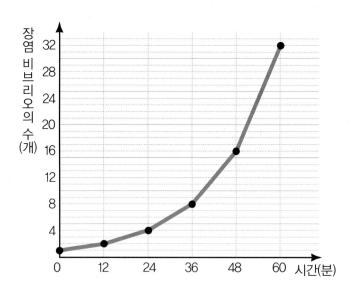

**채점 기준** 요소별 채점

**문제 파악 능력 [9점]** : 규칙성을 이용하여 분열 횟수와 분열하는 데 걸린 시간을 구하고 꺾은선 그래프를 그릴 수 있는가?

| | 채점 요소 | 점수 |
|---|---|---|
| (1) | 답을 바르게 구하고 풀이 과정을 바르게 서술한 경우 | 4점 |
| | 답만 바르게 구하거나 풀이 과정을 바르게 서술하지 않은 경우 | 2점 |
| (2) | 답을 바르게 구한 경우 | 2점 |
| | 꺾은선그래프로 바르게 나타낸 경우 | 3점 |
| | 꺾은선그래프를 그렸으나 오류가 있는 경우 | 1점 |

(3) **예시답안**

① 1년 중 해수 온도가 가장 높은 달이기 때문이다.

② 여름 휴가철 기간이므로 바닷가(해수욕장)에 인원이 가장 많은 시기이기 때문이다.

③ 여름 방학 기간이므로 면역력이 약한 아이들이 바닷가(해수욕장)에 가장 많은 시기이기 때문이다.

**해설**

장염 비브리오는 바닷물에 존재하는 식중독균으로, 해수 온도가 높을수록 빠르게 증식하므로 해수 온도가 가장 높은 여름철에 장염 비브리오 식중독에 걸리는 사람이 가장 많다.

**채점 기준** 총체적 채점

**문제 해결 능력 [3점]** : 여름에 장염 비브리오 식중독 발생 건수가 많은 이유를 추리할 수 있는가?

| 적절한 아이디어 수 | 점수 |
|---|---|
| 1가지를 바르게 서술한 경우 | 1점 |
| 2가지를 바르게 서술한 경우 | 3점 |

**08** 과학 **사고력**

| 관련 단원 | 4학년 1학기 5단원 혼합물의 분리 |
|---|---|
| 평가 영역 | 탐구 능력 |

### 모범답안

* 민재 : 비커 (가), 모래와 소금 혼합물은 물을 부어 소금을 녹인 후 거름 장치를 사용하여 분리한다.
* 민기 : 비커 (나), 소금과 물의 혼합물은 물을 끓여 증발시켜 소금을 분리하므로 거름 장치를 사용하지 않는다.
* 정훈 : 비커 (다), 모래와 물의 혼합물은 여과 장치로 분리하므로 채원이 보다 실험 기구를 많이 사용하지 않는다.
* 채원 : 비커 (라), 모래, 소금, 물 3가지를 분리해야 하므로 정훈이 보다 실험 기구를 많이 사용해야 한다.

### 해설

물을 붓는 경우는 물에 녹는 물질과 물에 녹지 않는 물질이 섞여 있는 혼합물을 분리할 때 사용한다. 거름 장치를 사용하는 경우는 거름종이로 고체 물질과 액체가 섞여 있는 혼합물을 분리할 때 사용한다. 소금과 물의 혼합물을 분리할 때는 거름 장치가 필요 없다.

### 채점 기준   요소별 채점

**탐구 능력 [6점]** : 모래, 소금, 물의 혼합물을 분리하는 방법을 알고 있는가?

| 채점 요소 | 점수 |
|---|---|
| 각 학생의 비커를 바르게 선택하고 이유를 바르게 서술한 경우 | 각 1.5점 |
| 각 학생의 비커를 바르게 선택했지만 이유를 바르게 서술하지 않은 경우 | 각 0.5점 |
| 각 학생의 비커만 바르게 선택한 경우 | 각 0점 |

## 09 과학 **사고력**

| 관련 단원 | 4학년 2학기 3단원 그림자와 거울 |
|---|---|
| 평가 영역 | 개념 이해력 |

### 모범답안

① 바닥에 말의 그림자가 생겼으므로 말은 빛이 통과하지 않는다.

② 그림자는 어두운색이므로 빛이 비치지 않는 곳이다.

③ 그림자가 말의 오른쪽 뒤쪽에 생겼으므로 태양은 말의 왼쪽 머리 위쪽에 있다.

④ 그림자의 크기가 말의 크기보다 작으므로 태양이 하늘 높이 떠 있다.

⑤ 말의 네 발과 그림자가 모두 연결되어 있으므로 말의 네 발은 바닥에 붙어 있다.

### 해설

빛이 나아가는 중간에 물체가 있을 때 물체 뒤쪽으로 빛이 통과하지 못하여 생기는 어두운 부분을 그림자라고 한다. 그림자가 생기려면 빛과 빛이 통과하지 않는 물체가 있어야 한다. 빛이 물체를 통과하는 정도에 따라서 그림자의 진하기가 달라진다.

### 채점 기준   총체적 채점

**개념 이해력 [6점]** : 그림자가 생기는 이유와 빛과 물체의 각도에 따라 그림자의 모양과 위치가 달라짐을 알고 있는가?

| 적절한 아이디어의 수 | 점수 |
|---|---|
| 1가지를 바르게 서술한 경우 | 2점 |
| 2가지를 바르게 서술한 경우 | 4점 |
| 3가지를 바르게 서술한 경우 | 6점 |

**⑩ 과학 사고력**

| 관련 단원 | 3학년 2학기 2단원 동물의 생활 |
|---|---|
| 평가 영역 | 개념 이해력 |

### 모범답안

① 더운 곳에 사는 사막여우는 열을 몸 밖으로 내보내기 좋게 귀가 크다. 반대로 추운 곳에 사는 북극여우는 몸속의 열을 빼앗기지 않기 위해 귀가 작다.

② 더운 곳에 사는 사막여우보다 추운 곳에 사는 북극여우가 몸집이 크고 신체 말단 부위가 작다. 몸집이 크고 말단 부위가 작을수록 부피에 대한 표면적의 비가 작아져 몸속의 열을 빼앗기는 것을 줄일 수 있다.

③ 모래가 많은 곳에서 사는 사막여우는 눈에 잘 띄지 않기 위해 털색이 주위 색과 비슷한 황토색이다. 반면에 눈이 많은 곳에서 사는 북극여우는 눈에 띄지 않기 위해 털색이 주위 색과 비슷한 흰색이다.

### 해설

생물은 사는 곳의 환경에 맞추어 형태나 생활 습성을 변화시키는데 이러한 현상을 적응이라고 한다. 추운 곳에 사는 동물은 추위에 견딜 수 있도록 몸에 지방층이 두껍게 발달하고, 귀가 작아 몸속의 열을 되도록 적게 방출한다. 반면에 더운 곳에 사는 동물은 적당한 마른 몸을 가지며, 귀가 커서 몸속의 열을 잘 방출한다.

### 채점 기준   총체적 채점

**개념 이해력 [6점]** : 사막여우와 북극여우 모습의 차이점을 환경과 관련지어 생각할 수 있는가?

| 적절한 아이디어의 수 | 점수 |
|---|---|
| 1가지를 바르게 서술한 경우 | 3점 |
| 2가지를 바르게 서술한 경우 | 6점 |

## ⑪ 과학 **사고력**

| 관련 단원 | 4학년 2학기 | 4단원 화산과 지진 |
|---|---|---|
| 평가 영역 | 탐구 능력 | |

### 모범답안

① 설악산 산봉우리가 한라산 산봉우리보다 뾰족하다.

② 한라산은 산봉우리가 1개 있고, 설악산은 산등성, 산봉우리, 골짜기가 있다.

③ 한라산은 꼭대기 부분에 오목한 분화구가 있고, 설악산은 분화구가 없다.

④ 한라산은 꼭대기에 물이 고인 호수가 있고, 설악산은 없다.

⑤ 한라산은 다른 산들과 이어져 있지 않고, 설악산은 다른 산들과 이어져 있다.

### 해설

한라산은 화산이고, 설악산은 화산이 아니다. 우리나라의 대표적인 화산은 한라산, 백두산, 성인봉(울릉도) 등이 있고, 대부분 다른 산은 화산이 아니다.

### 채점 기준   총체적 채점

**탐구 능력 [6점]** : 한라산과 설악산의 모습을 비교하여 차이점을 다양하게 찾을 수 있는가?

| 적절한 아이디어의 수 | 점수 |
|---|---|
| 1가지를 바르게 서술한 경우 | 1점 |
| 2가지를 바르게 서술한 경우 | 2점 |
| 3가지를 바르게 서술한 경우 | 4점 |
| 4가지를 바르게 서술한 경우 | 6점 |

**12** 과학 **창의성**

| 관련 단원 | 4학년 2학기 1단원 식물의 생활 |
| --- | --- |
| 평가 영역 | 유창성, 독창성 |

### 예시답안

① 비를 튕겨 내어 젖지 않는 우산을 만든다.

② 먼지가 붙지 않는 페인트로 칠하여 세차를 하지 않아도 깨끗함을 유지하는 차를 만든다.

③ 외벽에 묻은 먼지나 이물질을 물로 쉽게 씻어낼 수 있는 페인트를 만든다.

④ 김칫국물이나 음료 등을 쏟아도 묻지 않고 흘러내리는 옷감을 만든다.

⑤ 음식이 눌어붙지 않는 프라이팬을 만든다.

⑥ 액체와 먼지가 묻지 않는 유리창을 만든다.

⑦ 뚜껑 안쪽에 요구르트가 묻지 않는 요구르트 뚜껑을 만든다.

⑧ 오물이 묻지 않는 변기 표면을 만든다.

⑨ 물에 젖어도 안정적으로 작동하는 방수 전자제품을 만든다.

### 해설

연잎 표면을 현미경으로 관찰하면 지름 1 nm(1 nm＝$10^{-9}$ m) 정도의 미세한 돌기가 빼곡하다. 왁스 성분을 가지고 있는 무수히 많은 나노 크기의 미세 돌기들은 물방울의 표면장력을 크게 하여 연잎 표면에 닿을 수 없도록 지탱한다. 연잎 효과는 물에 젖지 않는 발수 코팅에 이용된다.

### 채점 기준 　총체적 채점

**유창성 [5점]** : 적절한 아이디어를 얼마나 많이 찾았는가?

| 적절한 아이디어의 수 | 점수 |
| --- | --- |
| 1가지를 바르게 서술한 경우 | 1점 |
| 2가지를 바르게 서술한 경우 | 3점 |
| 3가지를 바르게 서술한 경우 | 5점 |

**독창성 [2점]** : 아이디어가 통계적으로 보아 얼마나 드물게 나타나고 또 특별한가?

| 채점 요소 | 점수 |
| --- | --- |
| 현재 사용되고 있는 경우를 서술한 경우 | 1점 |
| 새로운 물건을 고안한 경우 | 2점 |

⓭ **과학 창의성**

| 관련 단원 | 4학년 2학기 4단원 화산과 지진 |
|---|---|
| 평가 영역 | 유창성, 독창성 |

### 예시답안

① 지진 총 발생 횟수가 증가하고 있다.

② 규모 3.0 이상의 지진 발생 횟수가 증가하고 있다.

③ 2015년부터 사람이 느낀 지진 발생 횟수가 많이 증가하고 있다.

④ 2016년에는 지진이 가장 자주 발생했다.

⑤ 북쪽 지방보다 남쪽 지방에서 지진이 자주 발생한다.

⑥ 경상도, 전라도, 황해도, 평안도 지방에서 지진이 자주 발생한다.

⑦ 육지뿐만 아니라 바다에서도 지진이 발생한다.

⑧ 경상도에서 규모가 큰 지진이 자주 발생한다.

⑨ 한반도는 지진의 안전지대가 아니다.

### 해설

2016년 9월 경주 지진 이후 광범위하게 작은 규모의 지진들이 전국적으로 일어나고 있다. 한반도에는 남북 방향뿐 아니라 동서 방향으로도 활발하게 활동하고 있는 활성 단층이 존재한다. 활성 단층은 지진을 일으킬 가능성이 크다. 태평양판이 연간 평균 10 cm씩 북서 방향으로 올라오면서 일본 열도와 한반도가 놓여 있는 유라시아판에 부딪혀 지하에 엄청난 에너지가 축적되고 있다. 이 에너지가 광범위한 지역에서 강진을 일으킨다.

### 채점 기준 총체적 채점

**유창성 [5점]** : 적절한 아이디어를 얼마나 많이 찾았는가?

| 적절한 아이디어의 수 | 점수 |
|---|---|
| 바르게 서술한 경우 1가지당 | 1점 |

**독창성 [3점]** : 아이디어가 통계적으로 보아 얼마나 드물게 나타나고 또 특별한가?

| 채점 요소 | 점수 |
|---|---|
| 발생 횟수에 관해서만 서술한 경우 | 1점 |
| 발생 횟수와 발생 지역에 관해 모두 서술한 경우 | 2점 |

## ⑭ 과학 STEAM

| 관련 단원 | 3학년 2학기 2단원 동물의 생활 / 4학년 1학기 2단원 지층과 화석 |
|---|---|
| 평가 영역 | 문제 파악 능력, 문제 해결 능력 |

**(1)**

### 모범답안

낮은 기온에서는 근육의 기능이 떨어져 제대로 날지 못하기 때문이다.

### 해설

20 ℃ 이하의 낮은 기온에서는 근육의 기능이 떨어져 제대로 날지 못하기 때문에 수온이 높은 바다였을 것으로 추리할 수 있다.

### 채점 기준  요소별 채점

**문제 파악 능력 [4점]** : 근육의 기능과 온도의 관계를 추리할 수 있는가?

| 채점 요소 | 점수 |
|---|---|
| 근육의 기능과 온도의 관계를 바탕으로 바르게 서술한 경우 | 4점 |
| 근육의 기능과 온도에 관해 서술했지만 근거가 바르지 않은 경우 | 2점 |

**(2)**

① 물 위로 빠르게 움직일 수 있으므로 물속의 천적으로부터 도망치기 유리하다.

② 물 위로 날아다닐 수 있으므로 물속에서보다 먹이를 잡기 유리하다.

③ 물의 저항보다 공기의 저항이 작으므로 빠르게 이동할 수 있다.

중국 척추동물 고생물학 및 고인류학 연구팀은 이 화석을 분석해 과거 날치는 바다에 사는 파충류 천적으로부터 도망치기 위해 날도록 진화했을 것이라는 분석 결과를 발표했다.

총체적 채점

**문제 해결 능력 [8점]** : 날치가 물 위를 날 수 있어 좋은 점을 추리할 수 있는가?

| 채점 요소 | 점수 |
|---|---|
| 바르게 서술한 경우 1가지당 | 4점 |
| 아이디어를 서술했지만 바르지 않은 경우 1가지당 | 2점 |

모의고사 **4**회 평가 가이드

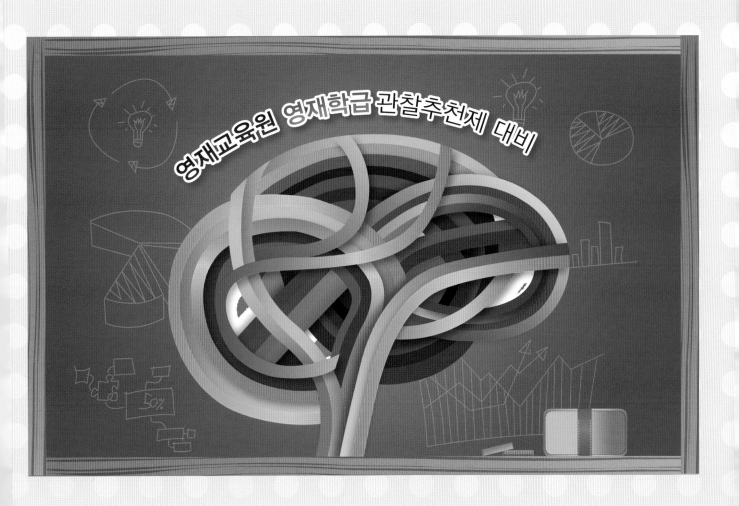

영재교육원 영재학급 관찰추천제 대비

안쌤의
「창의적 문제 해결력」 수학 과학 공통

# 모의고사

## ① 모의고사[4회]

- 최근 시행된 전국 관찰추천제 **기출 완벽 분석 및 반영**
- 서울권 창의적 문제해결력 **평가 대비**
- 영재성검사, 학문적성검사, **창의적 문제해결력 검사 대비**

## ② 평가 가이드 및 부록

- 영역별 점수에 따른 **학습 방향 제시와 차별화된 평가 가이드 수록**
- 창의적 문제해결력 평가와 면접 기출유형 및 예시답안이 포함된 **관찰추천제 사용설명서 수록**

안쌤의
「창의적 문제 해결력」

# 모의고사 14문항 구성

전국 영재교육 대상자 선발
관찰추천제 유형에 따른 맞춤형 문항 구성!!

| 문항 구성 | | 창의적 문제해결력 평가 | 영재성검사 | 학문적성검사 | 창의적 문제해결력 검사 | 창의 탐구력 검사 |
|---|---|---|---|---|---|---|
| **수학** | 사고력 4문항 | ● | ● | ● | ● | |
| | 창의성 2문항 | ● | ● | | ● | ● |
| | STEAM 1문항 | ● | ● | ● | ● | ● |

| 문항 구성 | | 창의적 문제해결력 평가 | 영재성검사 | 학문적성검사 | 창의적 문제해결력 검사 | 창의 탐구력 검사 |
|---|---|---|---|---|---|---|
| **과학** | 사고력 4문항 | ● | ● | ● | ● | |
| | 창의성 2문항 | ● | ● | | ● | ● |
| | STEAM 1문항 | ● | ● | ● | ● | ● |

# 안쌤의
# 창의적 문제해결력 시리즈

초등
1~2
학년

초등
3~4
학년

초등
5~6
학년

중등
1~2
학년

# 안쌤의
# 줄기과학 시리즈

새 교육과정
3~4학년
학기별
STEAM 과학

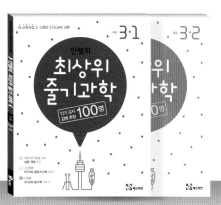

3-1 **8강**   3-2 **8강**     4-1 **8강**   4-2 **8강**

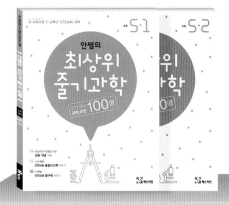

새 교육과정
5~6학년
학기별
STEAM 과학

5-1 **8강**   5-2 **8강**     6-1 **8강**   6-2 **8강**

새 교육과정
중등 영역별
STEAM 과학

**물리학 24강**   **화학 16강**   **생명과학 16강**   **지구과학 16강**     **물리학 워크북**     **화학 워크북**

# 안쌤의
# 창의적 문제해결력 시리즈

**초등 1~2 학년**

**초등 3~4 학년**

**초등 5~6 학년**

**중등 1~2 학년**

# 안쌤의
# 줄기과학 시리즈

3-1 **8강**   3-2 **8강**       4-1 **8강**   4-2 **8강**

5-1 **8강**   5-2 **8강**       6-1 **8강**   6-2 **8강**

물리학 **24강**   화학 **16강**   생명과학 **16강**   지구과학 **16강**       물리학 워크북       화학 워크북

영재교육원 영재학급 관찰추천제 대비

안쌤의
「창의적 문제 해결력」 수학 과학
공통

모의고사 3,4학년

관찰
추천제 용
사 설명서

매스티안

 안쌤 영재교육연구소

상위 1%가 되는 길로 안내하는 이정표로,
학생들이 꿈을 이루어갈 수 있도록 콘텐츠 개발과 강의 연구를 하고 있다.

안쌤영재교육연구소
**카카오톡**
**친구 추가하고**
교육 상담 받으세요~!!

저자 **안쌤 영재교육연구소**
안재범, 최은화, 유나영, 이상호, 추진희, 오아린, 허재이, 이민숙, 이나연, 김혜진, 김샛별

이 교재에 도움을 주신 선생님
강영미, 고려욱, 김민경, 김민정, 김성희, 김영균, 김은수, 김정숙, 김정아, 김정환, 김지영, 김진남,
김진선, 김진영, 김현민, 김형진, 김희진, 노관호, 류수진, 마성재, 박기훈, 박미경, 박선재, 박은아,
박재현, 박지숙, 박진국, 백광열, 서윤정, 손현선, 송경화, 신석화, 신한규, 어유선, 오소영, 유경아,
유승희, 유영란, 유지유, 윤선애, 윤소영, 윤이현, 이경미, 이미영, 이석영, 이아란, 이은덕, 이은범,
이진실, 임선화, 임성은, 임은란, 장수진, 장시영, 전정희, 전진홍, 전현정, 전희원, 정지윤, 정대현,
조영부, 조지흔, 채윤정, 채중석, 최용덕, 최지유, 추지훈, 하정용, 한현정, 홍애순

# 관찰추천제 사용설명서

## 영재교육 대상자 선발

### ① 영재교육원 종류 및 시기

| 기관 | 선발 방법 | 선발 시기 |
|---|---|---|
| 교육지원청 영재교육원 | 창의적 문제해결력 및 면접 평가 | 11월~12월 |
| 단위학교 영재교육원 | 창의적 문제해결력 및 면접 평가 | 11월~12월 |
| 직속기관 영재교육원 | 창의적 문제해결력 및 면접 평가 | 11월~12월 |
| 영재학급 | 창의적 문제해결력 및 면접 평가 | 2월~3월 |
| 대학부설 영재교육원 | 창의적 문제해결력 및 면접 평가 | 8월~11월 |

※ 지역별로 선발 과정이 다를 수 있으니 반드시 해당 영재교육원 모집 공고를 확인하세요.

### ② 일정 및 방법

• 교육지원청 영재교육원 및 직속기관, 단위학교 영재교육원

| 단계 | 주관 | 일정 | 세부 내용 |
|---|---|---|---|
| 지원 단계 | 학생 | 11월 | •GED에서 지원서, 자기체크리스트 작성<br>•지원서를 출력하여 소속 학교 담임교사에게 제출 |
| 추천 단계 | 소속 학교 | 11월 | •담임교사 학생 지원 자료 확인 및 창의적인성검사 제출<br>•학교추천위원회 학교별 지원자 명단 확인 후 최종 추천 |
| 창의적 문제해결력 및 면접 평가 단계 | 교육지원청 | 12월 | •창의적 문제해결력 및 면접 평가 실시 |
| 최종 합격자 발표 | 교육지원청 | 12월 | •아래 합산 성적순<br>-교사 체크리스트 : 20점<br>-창의적 문제해결력 평가 : 70점<br>-면접 : 10점 |

### ③ 유의 사항

• 동일 교육청 소속 영재교육원 중복 지원 불가
• 동일 학년도 내에서 영재교육기관 합격자는 타 영재교육기관에 지원 불가
• 중복 지원이 허용되는 경우 중복 합격이 가능하지만 중복 등록은 불가

# Ⅰ 자기소개서

## ❶ 자기소개서란

자기소개서는 자신을 소개하는 글이다. 어떻게 자라왔고, 미래의 목표를 위해 현재 무엇을 하고 있으며, 장래계획은 무엇인지 서술한다. 따라서 과거와 현재, 미래가 일관되고 유기적으로 조합되어 있어야 자신을 잘 드러낼 수 있다. 자기소개서는 꾸밈없이 진솔하게 작성해야 한다. 거짓이나 과장이 들어 있으면 안 된다. 자신을 돋보이려고 화려하게 꾸미는 것도 좋은 결과를 낼 수 없다.

자기를 소개하는 글을 써본 적이 없는 학생들이 갑작스럽게 자기소개서를 작성한다는 것은 굉장히 부담스럽고 어려운 일이다. 그러나 자기소개서는 반드시 자신이 직접 써야 한다. 자기소개서를 잘 작성하려면 논술처럼 선생님의 지도만으로는 어렵다. 스스로 작성하지 않고 다른 사람의 도움을 받아 글을 작성한 경우는 심층 면접 과정을 통해 고스란히 밝혀질 수밖에 없다. 그러므로 평소에 자기 자신을 잘 나타낼 수 있도록 글을 쓰고, 수시로 글을 수정하는 노력이 필요하다.

## ❷ 자기소개서를 쓰는 이유

영재교육원에서 자기소개서를 요구하는 이유는 무엇일까? 자기소개서는 학생생활기록부만으로는 평가할 수 없는 지원자의 능력을 보다 객관적으로 세밀하게 파악할 수 있는 방법이다. 가정 환경이나 성장 과정으로 개인의 성격이나 가치관을 파악할 수 있으며, 지원 동기로 지원자의 열정과 장래성을 알 수 있다. 따라서 자기소개서에 일반적이고 추상적인 문구를 나열하기보다는, 자신의 강점을 뒷받침해 줄 수 있는 구체적인 일화나 경험이 있으면 좋다.

## ❸ 자기소개서를 쓰기 전에 해야 할 일

자기소개서를 쓰기 전에, 먼저 준비해야 할 것이 있다. 자신의 진로에 대한 확실한 목표를 정해야 한다. 나는 왜 영재교육원에서 공부하고 싶은지, 영재교육원 수업이 나의 진로에 어떠한 도움이 되는지, 나는 장차 무엇이 될지에 대한 확실한 목표가 있어야 한다. 자신의 진로에 대한 고민과 분명한 목표를 가지고 있으면 일관성 있는 자기소개서를 작성하기 쉽다. 또한 분명한 목표를 가지고 준비하는 사람만이 합격의 영광을 맛볼 수 있다. 진로에 대한 뚜렷한 목표가 있어야 성공에 대한 기대치가 크게 나타나며, 자신을 발전할 수 있게 만든다. 영재교육원에서도 목표 의식이 분명하고 자식의 진로에 대해 고민을 많이 한 학생을 선호하고 선발할 것이다.

# ④ 자기소개서 작성 요령

자기소개서에는 정답이나 모범 답안이 없다. 각자 삶의 방식이 다양한 만큼 자기소개서 역시 다양할 수밖에 없다. 자기소개서는 무턱대고 자신을 칭찬하고 미화하는 목적의 글이 아니다. 대부분 학생이 과잉 자찬이나 과잉 겸손의 형태로 글을 쓰는데, 자기소개서는 과장되지 않아야 하고, 깔끔한 논리로 자신을 어필할 수 있도록 적어야 한다. 자기소개서를 작성하는 형식은 특별히 정해진 것이 없다. 문항별로 적합한 내용을 적어야 하고, 전체적으로는 내용이 일관되어야 한다.

## 가. 스토리텔링 기법을 활용하자.

스토리텔링 기법을 이용하면 자신의 진솔한 이야기와 경험을 살려 면접관에게 나의 이야기를 들려줄 수 있고, 다른 사람과는 다른 경험을 통해 나만의 독특한 이미지를 만들 수 있다. 그러나 자기소개서 전체를 이러한 사례를 나열하는 수준으로 작성해서는 안 된다. 자신의 강점이나 차별성을 잘 보여줄 수 있는 항목에 적당한 양의 사례를 추가하는 것이 좋다.

## 나. 자기소개서의 특징을 파악하자.

문항별로 적합한 내용을 적어야 하고, 전체적으로 내용이 일관되어야 한다. 추상적 사건을 나열하다 보면 정신만 없고 내용 전달이 어려워진다. 한 가지 또는 두 가지 사례를 구체적으로 적어 읽는 이로 하여금 신뢰감이 생기고 감동하도록 해야 한다.

## 다. 성장 과정을 기록하자.

가족 구성원의 특성, 가정 분위기 및 집안의 자랑거리, 부모님으로부터 얻은 교훈과 깨달음 등을 적는다. 단순히 나열하여 쓰기보다는 특별한 사건과 그로 인해 얻은 경험을 진솔하게 적는 것이 좋다. 처음 과학이나 수학에 흥미를 느낀 사례나 해당 분야와 관련 있는 집안의 분위기를 써도 좋다.

## 라. 지원동기를 구체적으로 적자.

지원 분야에 관심을 가지게 된 사건이나 계기, 관심 있는 분야에 관한 자신의 활동이나 노력 등을 구체적으로 적는다. 이는 자신이 지원 분야에 얼마나 큰 관심이 있으며, 이를 위해 꾸준히 어떠한 활동을 해왔다는 것을 보여준다. 단순히 영재원에 합격하는 것이 목적이 아니라, 내가 관심 있는 분야를 공부해 나가는 과정에서 영재원이 더 큰 도움이 될 것이라는 흐름으로 적는 것이 좋다. 지원동기에는 자신의 열정이 나타나야 하고, 앞으로 어떤 일들을 하고 싶다고 반드시 표현해야 한다.

## 마. 노력과 의미 있는 경험을 적자.

이 문항은 대부분 지원동기와 연결된다. 지원동기에서 노력과 활동을 하게 된 계기, 이유 등을 간단히 밝혔다. 그러므로 여기서는 다양한 활동과 노력을 강조하기보다는 의미 있다고 생각하는 활동과 자신의 노력을 한두 가지를 골라 구체적으로 적는다. 활동의 내용뿐만 아니라 그 이후의 느낀 점이나 변화된 점을 적으면 더욱 좋다.

### 바. 자신의 관심 분야를 적자.

관심 분야를 서술하는 문항은 지원동기, 학업계획, 진로 관련 문항과 연결되므로, 이들은 모두 반드시 유기적으로 연결되어야 한다. 관심을 가진 계기나 이유를 사례 형태로 기술하고, 이에 대한 증거로 독서나 체험 활동 등의 증거를 제시하고, 각종 대회에 참가한 경험이나 수상경력을 간단히 언급하면 좋다. 일회성으로 대회에 참가하거나 수상하는 것보다는 계속된 참가와 수상이 더 신뢰를 줄 수 있다.

### 사. 학업계획과 진로를 적자.

이 문항은 지원동기와 연결되는 문항으로, 내용이 서로 연결되도록 적어야 한다. 지원 분야 중 관심 있는 분야와 진로를 먼저 제시하고, 자신이 이것을 이루기 위해 어떠한 계획을 하여 어떠한 활동을 하고 있는지 적는다. 면접관들은 이 문항을 통해, 지원하는 분야에 대한 심화학습 정도를 알 수 있다.

### 아. 자신의 장점과 단점을 솔직히 적자.

장점은 구체적으로 적어야 하고, 너무 많은 장점을 장황하게 나열하는 것보다 강한 장점을 한두 가지만 적는 것이 좋다. 지원동기나 다른 문항에서 학업적 역량에 관한 장점을 적었다면, 여기서는 열정, 노력, 끈기, 몰입도 등 인성적인 측면을 강조하면 좋다. 자신의 장점이 크게 작용한 사례를 적으면 좋다. 단점은 이를 극복하기 위해 어떻게 노력하고 있는지를 사례로 적으면 강한 인상을 줄 수 있다.

### 자. 자기소개서에 특별한 제목을 넣자.

면접관들은 수십, 수백 개의 자기소개서를 읽는다. 수많은 자기소개서 중에서 자신의 자기소개가 눈에 띌 수 있도록, 자신을 압축하여 잘 표현할 수 있는 제목을 붙여 보자.

### 차. 키워드를 찾아 통일감 있게 쓰자.

자기소개서에는 다양한 항목이 있다. 항목별로 자신의 답변을 주요 키워드로 요약했을 때, 각 키워드가 관계성을 가지고 서로 연결되어 있으면서 전체적으로 모든 키워드가 일관성이 있어야 한다. 아무리 좋은 글을 썼다 해도 전체적인 통일감이 없다면 진실성이 드러나지 않기 때문이다. 자기소개서는 기본적으로 구체적이고, 진실성이 있어야 하며, 전체적인 일관성이 기본적인 원칙이다.

### 카. 자기소개서를 모두 작성한 후에는...

작성한 글이 매끄럽게 읽어지는지 확인하고, 맞춤법 및 띄어쓰기를 확인해야 한다. 여러 번 반복하여 읽어 보고, 수정 보완한다.

# Ⅱ 영재성 입증자료

## 1 영재성 입증자료

영재성 입증자료는 지원자의 능력, 관심, 성취도를 나타내는 산출물이다. 발명품, 실험 및 탐구일지나 기록, 수학 과학 분야 블로그 운영 등의 각종 산출물로, 지원자의 영재성과 잠재력을 입증할 수 있는 자료이다. 영재성 입증자료는 짧은 기간에 준비하기 쉽지 않다. 영재성 입증자료는 영재원이나 과학고를 준비하는 학생들에게 서류 전형에서 중요한 요소이므로, 평소에 오랫동안 남들과는 다른 독창적인 것을 미리 준비해 두는 것이 좋다.

## 2 영재성 입증자료 작성 요령

### 가. 자신이 직접 작성하자.

서류심사 중에 원본을 봐야겠다고 판단되는 경우에는 추가 제출을 요구할 수도 있다. 그러므로 작고 초라해 보일지라도 본인이 스스로 한 것 중에서 골라야 한다.

### 나. 자기소개서와 연결하자.

지원자의 특별한 장점과 영재성을 부각할 수 있는 것이어야 한다. 자신을 어필할 수 있는 자료를 선택해 자기소개서 또는 추천서의 내용과 일관되게 작성해야 한다.

### 다. 일관되고 지속적인 자료가 열정을 보여준다.

영재성 입증자료는 관심 영역에 대한 학습의 확장이다. 1년 이상 한 분야를 공부하면서 궁금했던 내용을 조사하고 실험하는 등 다양한 방법으로 문제를 해결한 흔적이 드러나 있는 자료나 관심 분야의 독서 기록물 등이 과제집착력을 보여주기에 좋다.

### 라. 결과보다는 과정을 부각하자.

자료의 결과만 제시하는 것보다 이를 완성해 내는 과정에서의 구체적인 노력 및 과정을 서술하고, 그 과정에서 느낀 점, 배운 점, 그 경험을 바탕으로 미래의 모습에 대한 고민 또는 목표의 변화 과정을 자세히 서술하는 것이 좋다. 경시대회의 수상실적을 영재성 입증자료로 제출하는 것은 안 되지만, 대회를 통해 자신의 탐구 결과를 소개하거나 그 과정이 본인에게 어떤 의미가 있었는지에 대한 자료는 제출할 수 있다.

### 마. 독창성과 진실성이 엿보이는 자료를 찾자.

독창적인 자료란 콜럼버스의 달걀처럼 누구나 쉽게 할 수는 있지만, 아무나 할 수 없는 문제에 호기심을 가지고 다가선 것을 말한다. 우리 주위의 여러 현상을 관찰하고,

호기심이 생기는 주제를 선택한 후, 원인을 조사하고 자신의 교육과정에 해당되는 지식으로 검증하는 과정을 다루는 것이 좋다.

## 바. 영재성 입증자료로 가능한 것을 찾자.

자신의 능력이나 관심 및 성취도를 나타낼 수 있는 자료를 찾아야 한다. 대학부설영재원 탐구활동, 학교 과학 경진 대회 등에서 발표한 탐구자료, 실험, 관찰보고서, 각종 발명 대회에 출품한 발명품, 과학 관련 체험 행사나 캠프 등에 참가한 경험이나 수상 기록 등이 실린 신문 기사 스크랩, 집에서 진행한 관찰일지, 수학 및 과학 관련 도서 독후감 등이 해당한다. 위와 같은 실적이 없는 경우에는 각 대회 출전 준비 과정 및 출전 경험을 기록해도 좋다. 준비 과정에서 어떠한 노력을 했는지, 준비하면서 어떤 부분이 향상되었는지 기록한다. 영재원이나 올림피아드와 같은 대회의 실적을 영재성 입증자료로 직접적으로 제시할 수는 없지만 영재원이나 영재학급에서의 보고서나 활동지는 활용할 수 있다. 영재성 입증자료는 학생의 결과만 보는 것이 아니라 과정을 중요시하는 평가 방식이므로, 현재까지 공부한 내용에 대한 노력의 흔적을 볼 수 있는 것으로 준비하는 것이 좋다.

## 사. 영재성 입증자료로 사용할 수 없는 것을 알아두자.

올림피아드와 같은 경시대회 입상실적, 영재학급이나 영재원 수료증, 수학·과학·영어·한자 등의 인증 시험 점수, 상장으로 표현되는 자료, 연속성이 없는 예전 자료 등은 영재성 입증자료로 적합하지 않다.

## 아. 원본 및 산출물을 촬영한 사진을 첨부한다.

영재성 입증자료는 서면으로 제작된 것이어야 한다. 플라스틱 파일이나 외장메모리, 또는 입체적인 자료는 사진으로 대체한다. 산출물을 뚜렷이 확인할 수 있도록 촬영해야 하고, 지원자와 함께 촬영된 사진이 포함되어야 한다.

# ❸ 영재성 입증자료 예시

## 가. 평소 수학과 과학에 얼마나 관심과 열정이 있는지를 증명하기 위해 꾸준히 작성한 것

관찰일기, 과학·수학 독후감, 탐구보고서, 수학이나 과학 관련 행사나 캠프에 참여했던 경험을 적은 보고서, 수학이나 과학과 관련된 신문이나 잡지 스크랩, 블로그 활동 등을 활용할 수 있다. 특히 관찰일기는 사고의 확장과정을 보여주기에 좋다.

## 나. 수상 실적을 이용

단순히 수상목록과 상장만 제출하면 안 된다. 탐구 주제 선정이유 → 탐구 동기 → 알고 싶었던 점 → 탐구를 통한 기대효과 → 탐구방법 → 탐구결과 → 느낀 점과 더 알고 싶은 점 순서로 참가 대회에서 탐구한 내용을 정리하면 좋다.

**1 교육청 영재교육원, 영재학급 창의적 문제해결력 평가 (2학년)**

수학 융합

1. 다음은 축구공의 전개도이다.

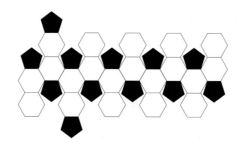

(1) 축구공 전개도의 특징을 적으시오.

[답안 작성]

[모범답안]
- 축구공은 꼭짓점 하나에 정육각형 2개, 정오각형 1개를 붙여서 만든 입체도형이다.
- 모든 평면도형의 변의 길이가 같다.
- 면의 개수가 32개인 32면체이다.
- 정오각형 12개, 정육각형 20개로 이루어진 도형이다.
- 한 꼭짓점에 모이는 도형의 개수가 3개이다.
- 꼭짓점의 개수는 60개이고, 모서리의 개수는 90개이다.

(2) 오각형 한 변 길이가 5 cm일 때 축구공 둘레의 길이를 구하시오.

[답안 작성]

[모범답안] 입체도형의 모서리 개수는 모두 90개이므로 90 × 5 cm = 450 cm이다.

1. (가), (나), (다)는 새의 부리 모습이다.

(가) 저어새          (나) 왜가리          (다) 독수리

(1) 부리 모습을 보고 각 새가 어떤 먹이를 먹는지 쓰시오.

[답안 작성]

[모범답안]
- 저어새 부리는 넓적한 주걱 모양이므로 물속에 있는 물고기, 물풀 등의 먹이를 걸러 먹기에 알맞다.
- 왜가리 부리는 창처럼 길고 뾰족하므로 물고기, 개구리, 쥐, 뱀, 곤충 등의 작은 먹이를 찔러서 잡기에 알맞다.
- 독수리 부리는 끝이 갈고리처럼 휘어지고 튼튼하므로 비둘기, 오리 등의 작은 먹이를 찢기에 알맞다.

[해설] 새의 부리는 살아가는 환경과 먹이의 종류에 따라 다른 모양으로 발달한다.

(2) 새 부리의 쓰임새를 5가지 쓰시오.

[답안 작성]

[모범답안] 먹이를 먹을 때, 깃털을 다듬을 때, 먹이를 사냥할 때, 둥지를 만들 때, 체온 조절 등

[해설] 새 부리는 혈관이 모여 있는 곳이며 표면은 딱딱한 키틴질로 싸여 있어 수분이 날아가지 않는다. 부리는 더운 날 수분 손실을 최대한 억제하면서 열을 내보내 체온을 조절한다.

수학

1. 8칸×9칸 사각형이 있다.

(1) 8칸×9칸 사각형에 색칠을 하려고 할 때 모든 변이 닿지 않도록 하고, 가장 많은 칸을 색칠하려고 한다. 색칠할 수 있는 칸의 수는 몇 개인지 구하시오.

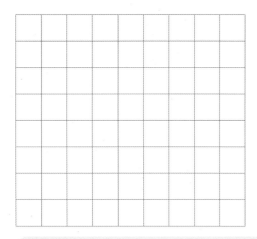

[답안 작성]

[모범답안] 색칠할 수 있는 칸의 수는 5×4+4×4=4×9=36칸이다.

[해설] 문제의 조건에 맞게 칸을 색칠해보고, 규칙성을 찾는다.

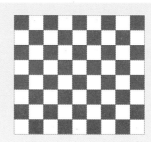

(2) 색칠한 도형의 둘레를 구하시오. (정사각형의 한 변의 길이는 1이다.)

[답안 작성]

[모범답안] 한 변의 길이가 1이므로 36×1×4=144이다.

[해설] 모든 변이 서로 닿지 않으므로 색칠한 도형의 둘레의 길이는 정사각형의 개수×한 변의 길이×4와 같다.

(3) 11칸×12칸 사각형인 경우 (1)과 같은 방법으로 색칠했을 때 색칠한 도형의 둘레를 구하시오.

[답안 작성]

[모범답안] (1)에서 찾은 규칙성을 활용하면 12칸의 정사각형이 이어진 한 줄에 6칸씩 칠할 수 있고, 그렇게 칠한 것이 11줄 있다는 것을 알 수 있다. 따라서 도형의 둘레는 6×11×1×4＝264이다.

[해설] 12개의 정사각형이 이어진 한 줄에 한 칸씩 건너 색칠하면 모두 6칸을 색칠할 수 있다.

2. 주어진 수열을 보고 오른쪽으로 10번째, 아래쪽으로 4번째의 수를 구하시오.

| 1 | 2 | 9 | 10 | 25 | 26 |
|---|---|---|----|----|----|
| 4 | 3 | 8 | 11 | 24 | 27 |
| 5 | 6 | 7 | 12 | 23 | 28 |
| 16 | 15 | 14 | 13 | 22 | 29 |

⋯

⋮

[답안 작성]

[모범답안]

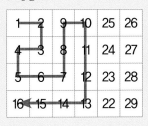

주어진 수열에서 수가 나열된 규칙은 다음과 같다.
위 규칙에 따르면 첫 번째 행(가로줄)의 짝수 열(세로줄)의 수는 2, 10, 26, ⋯이며 8, 16, 24, 32, ⋯ 8의 배수로 증가하는 것을 확인할 수 있다.
또한, 아래로 내려가며 1씩 커지는 수가 배열된다.
따라서 첫 번째 행의 오른쪽 10번째 수는 2 + 8 + 16 + 24 + 32 = 82이며, 아래쪽으로 4번째의 수는 82 + 3 = 85이다.

[해설] 수열의 규칙을 찾아 설명하고, 그 규칙을 이용해 답을 구한다.

1. 다음 실험을 보고 물음에 답하시오.

투명한 플라스틱 컵 (가)와 종이컵 (나)에 포도 주스와 얼음을 넣고 물기를 닦은 후 전자저울에 올려 무개를 재보니 200 g이었다.

(가) 플라스틱 컵      (나) 종이컵

하루가 지난 후, 두 컵에 나타나는 변화를 비교하여 쓰시오. (단, 유리판, 컵, 접시의 무게는 고려하지 않는다.)

[답안 작성]

[모범답안] 하루가 지나면, 플라스틱 컵의 무게는 그대로지만 종이컵의 무게는 증가한다. 포도 주스와 얼음을 컵에 넣어 두면 포도 주스의 온도가 내려가 컵 표면에 공기 중의 수증기가 물방울로 바뀐 이슬이 맺힌다. 플라스틱 컵에 맺힌 이슬은 시간이 지나면 증발해 사라지므로 무게가 같지만, 종이컵은 이슬을 흡수하므로 무게가 증가한다.

[해설] 두 컵 모두 위에 유리판을 덮었기 때문에 포도 주스가 증발하지 않으므로 주스의 양은 같다.

2. 실생활 속에서 응결과 증발의 예를 찾아 각각 2가지씩 쓰시오.

[답안 작성]

[모범답안]
- 증발 : 젖은 빨래가 서서히 마른다. 손을 씻고 닦지 않아도 마른다. 어항의 물이 줄어든다. 염전의 물이 증발하여 소금이 만들어진다. 젖은 오징어가 말라 마른 오징어가 된다. 등
- 응결 : 차가운 얼음물이 담겨 있는 컵에 물방울이 맺힌다. 새벽에 풀잎이나 나무 표면에 이슬이 맺힌다. 맑은 날 아침에 강가나 호숫가에 안개가 생긴다. 공기가 상승하여 높이 올라가면 구름이 생긴다. 등

[해설] 증발은 액체 표면에서 액체가 기체로 바뀌는 현상이고, 응결은 기체가 액체로 바뀌는 현상이다.


3. 가위에 새로운 기능을 추가하여 발명품을 만드시오.

[답안 작성]

[예시답안]
- 가위에 레이저를 단다. 종이를 자를 때 레이저가 종이에 비치므로 종이를 곧게 자를 수 있다.
- 가위 중앙에 받침대를 만들어서 가위 날이 식탁 바닥에 닿지 않도록 하면 음식을 깨끗하게 자를 수 있다.
- 가위 날을 여러 개를 만들어서 한 번에 여러 조각으로 자를 수 있게 만든다.
- 가위 날 두 개를 붙여서 채소를 한입 크기로 자를 수 있도록 한다.
- 가위 날을 둥글게 만들어서 새우처럼 둥근 물체를 자를 수 있도록 한다.
- 가위를 접어서 보관할 수 있게 만든다.

[해설] 주위의 물체를 잘 관찰하고 불편한 점을 개선하거나 새로운 기능을 추가하여 발명품을 만드는 연습을 한다.

## ❸ 교육청 영재교육원, 영재학급 창의적 문제해결력 평가 (5~6학년)

**수학·과학 공통**

1. 두 거울 사이의 각도와 거울에 비치는 상의 개수는 다음과 같다.

> 두 거울 사이의 각이 180°일 때 – 거울에 비치는 상의 개수 1개
> 두 거울 사이의 각이 90°일 때 – 거울에 비치는 상의 개수 3개
> 두 거울 사이의 각이 60°일 때 – 거울에 비치는 상의 개수 5개

(1) 두 거울 사이의 각도와 거울에 비치는 상의 개수 사이의 규칙성을 찾고, 두 거울 사이의 각이 30°일 때 거울에 비치는 상의 개수를 구하시오.

[답안 작성]

[모범답안] 두 거울 사이의 각이 90°일 때 거울에 비치는 상의 수는 3개, 60°일 때 거울에 비치는 상의 수는 5개이므로
상의 개수 = 360° ÷ 거울 사이의 각 – 1로 구할 수 있다.
따라서 거울 사이의 각이 30°일 때 거울에 비치는 상의 개수는 360° ÷ 30° – 1 = 11개이다.

[해설] 두 거울 사이의 각도와 거울에 비치는 상의 개수 사이의 규칙성을 찾는다.

(2) 두 거울 사이의 각도가 90°일 때 물체와 물체의 상은 사각형을 이룬다. 물체와 물체의 상이 오각형을 이룰 때 두 거울 사이의 각도를 구하시오.

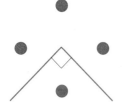

[답안 작성]

[모범답안]
거울 사이의 각이 90°일 때 : 사각형
거울 사이의 각이 60°일 때 : 육각형
거울 사이의 각 = 정다각형의 한 외각의 크기이다.
정오각형의 한 외각의 크기는 72°이므로 오각형일 때의 거울 사이의 각도는 72°이다.

[해설] 거울 사이의 각도와 거울에 비치는 상과 물체로 만들어지는 정다각형의 한 외각 사이의 규칙성을 찾는다.

2. 다음은 성냥개비 6개로 만든 도형이다. 이 도형의 넓이의 2배가 되는 도형을 성냥개비 12개로 만드시오.

[답안 작성]

[모범답안]

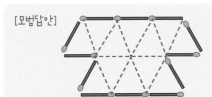

[해설] 성냥개비 6개로 만든 정육각형의 넓이를 6등분 하면 다음과 같다. 육각형 모양의 도형 넓이의 2배가 되려면 육각형을 이루는 작은 정삼각형 12개와 넓이가 같은 도형을 만들면 된다.

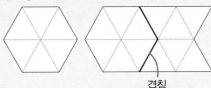

위와 같은 도형은 넓이는 2배이지만 사용된 성냥개비 개수가 10개뿐이므로 문제의 조건에 맞지 않는다.

## 1. 철수는 아래 사건의 원인을 알아보기 위해 실험을 하였다.

> [사건]
> 2014년 8월 00일, 000 씨는 남대문 야외 주차장에 차를 주차한 뒤 자는 아이를 두고 내렸다. 잠시 후, 안전요원 000 씨가 아이가 차 안에 쓰러져 있는 것을 보고 119에 신고하였다. 차 안에 혼자 있던 아이는 차 안의 온도가 너무 많이 올라가 잠시 기절했지만, 다행히 생명에는 지장이 없었다.
>
> [실험]
> ① 스타이로폼 상자 두 개에 온도계를 넣고 하나는 유리판을 덮고 다른 하나는 덮지 않는다.
> ② 두 스타이로폼 상자를 햇빛이 비추는 곳에 두고 5분 간격으로 스타이로폼 상자 안의 온도를 측정한다.

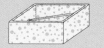 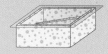

(1) 위 실험에서 철수가 생각한 가설을 쓰시오.

> [답안 작성]

(2) 위 실험에서 같게 해 주어야 할 조건(3가지)과 다르게 해 주어야 할 조건(1가지)을 쓰시오.

> [답안 작성]

(3) 다음은 위 실험의 결과이다. 그래프 A와 B 중 유리판을 덮은 스타이로폼 상자를 고르고 그렇게 생각한 이유를 쓰시오.

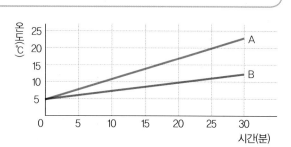

> [답안 작성]

(4) 실험 장치의 온도 변화가 위 그래프와 같이 나타난 이유를 쓰시오.

[답안 작성]

(5) 실험 장치의 온도가 올라가지 않게 하기 위한 방법과 여름철 차 안의 온도가 올라가지 않게 하기 위한 방법을 각각 쓰시오.

[답안 작성]

(6) 실험에서 일사병의 원인을 찾고 해결 방안을 3가지 쓰시오.

[답안 작성]

[모범답안]
(1) 밀폐된 곳에서는 온도가 빨리 올라갈 것이다.
(2) • 같게 해야 할 것 : 스타이로폼 상자의 부피, 빛의 세기, 상자와 빛의 간격 등
　　• 다르게 해야 할 것 : 상자의 밀폐
(3) A는 유리판을 덮은 스타이로폼 상자이고, B는 유리판을 덮지 않은 스타이로폼 상자이다. 스타이폼 상자를 유리판으로 덮으면 밀폐되어 열이 빠져나가지 못하기 때문에 온도가 높아진다.
(4) 유리판을 덮으면 열이 스타이로폼 상자 내부에 갇혀 있으므로 온도가 빨리 올라간다. 하지만 유리판이 없으면 데워진 스타이로폼 상자 내부의 공기가 밖으로 빠져나가고 상대적으로 온도가 낮은 공기가 상자 안으로 들어오는 순환이 일어나므로 온도가 빨리 올라가지 않는다.
(5) • 실험 장치 : 스타이로폼 상자 내부의 공기가 순환 할 수 있도록 뚜껑을 열어 두고 공기가 빠르게 순환할 수 있도록 선풍기를 틀어준다. 햇빛을 반사할 수 있도록 스타이로폼 상자 위쪽에 반사판을 설치한다.
　　• 차 : 그늘에 주차하고 창문을 열어 두어 공기가 순환하도록 한다. 차가 햇빛을 받지 않도록 덮개를 씌운다.
(6) 일사병은 오랫동안 높은 온도에 있을 때 체온이 상승하여 나타나는 병이다. 일사병을 예방하기 위해서는 오랜 시간 동안 뜨거운 햇빛 아래 있지 않아야 하고, 시원한 물을 자주 마시고, 바람이 잘 통하는 곳에서 충분히 휴식해야 한다.

## ❹ 교육청 영재교육원, 영재학급 창의적 문제해결력 평가 (중등)

1. 오각형이 다음과 같이 겹쳐진 채로 그려져 있다. 겹쳐진 오각형의 개수에 따라 생기는 점의 개수와 나눠진 면의 개수에 관한 표를 만들고 규칙을 쓰시오.

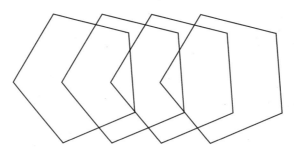

[답안 작성]

[모범답안]

| 오각형의 개수 | 2 | 3 | 4 |
|---|---|---|---|
| 점의 개수 | 2 | 6 | 10 |
| 면의 개수 | 3 | 7 | 11 |

겹쳐진 오각형의 개수가 1개씩 늘어남에 따라 생기는 점의 개수와 나누어진 면의 개수가 모두 4개씩 증가한다.

[해설] 오각형의 개수가 하나씩 늘어남에 따라 생기는 점과 나누어지는 면의 개수 사이의 규칙성을 찾는다.

2. 다음 물음에 답하시오.

(1) 한 번 접어서 같은 모양이 되는 것과 두 번 접어도 같은 모양이 되는 글자를 쓰시오.

[답안 작성]

(2) 자음과 모음 중 하나를 골라 두 글자 단어를 만든 뒤 그 단어가 나타내는 물체를 그림으로 그리고 그림에서 그 단어를 구성하는 자음이나 모음을 찾아 표시하시오.

[답안 작성]

1. 다음과 같이 수조에 검정말을 거꾸로 세워 고정한 후 검정말을 비추는 전등의 거리를 다르게 하면서 빛을 5분 동안 비추었다. 전등과 검정말 사이의 거리와 시험관 속의 기포 발생 수는 다음과 같았다.

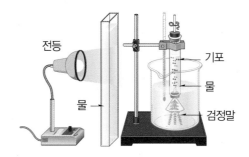

| 전등과 검정말 사이의 거리(cm) | 5 | 10 | 15 | 20 | ⋯ |
|---|---|---|---|---|---|
| 검정말 기포 발생 수(개) | 30 | 28 | 20 | 10 | ⋯ |

(1) 검정말이 광합성을 하는 증거를 2가지 쓰시오.

[답안 작성]

[모범답안]
• 검정말에서 산소가 발생한다.
• 모아진 기체에 불꽃을 가까이하면 잘 탄다.
• 검정말을 꺼내어 엽록소를 제거한 후 아이오딘 – 아이오딘화 칼륨 용액을 뿌리면 잎이 청람색으로 바뀐다.

[해설] 식물은 엽록체에서 빛에너지를 흡수하여 이산화 탄소와 물을 원료로 하여 포도당을 만들고 산소를 방출하는데, 이를 광합성이라고 한다. 광합성 결과 최초로 만들어지는 유기 양분은 포도당이지만 곧 녹말로 바뀌어 잎에 잠시 저장된다. 따라서 아이오딘 – 아이오딘화 칼륨 용액을 이용하여 광합성 산물을 확인할 수 있다.

(2) 시험관 속의 기포 수를 세는데 너무 작아서 세어지지 않는다. 이를 보완할 수 있는 방법을 쓰시오.

[답안 작성]

[모범답안] 온도를 38 ℃에 가깝게 맞춰 광합성량을 최대로 하고 이산화 탄소의 용해도를 낮춘다.

[해설] 광합성 결과 산소가 만들어지고, 그중 물에 녹지 못하는 산소는 기포가 된다. 기체는 온도가 높을수록 용해도가 낮아지므로 큰 기포가 생성된다. 또한 35~38 ℃일 때 광합성량이 최대이므로 발생하는 기포의 양이 많다.

(3) 시험관 속의 기포가 너무 가끔씩 발생하여 실험 결과를 측정하기 힘들었다. 이를 보완할 수 있는 있는 방법을 쓰시오.

[답안 작성]

[모범답안] 물 대신 이산화 탄소가 포함된 탄산수소 나트륨 용액을 넣고, 온도를 38 ℃에 가깝게 맞춰 광합성량을 최대로 해준다.

[해설] 광합성은 빛의 세기, 이산화 탄소의 농도, 온도에 의해 영향을 받는다. 빛의 세기에 의한 광합성량을 알아보는 실험이므로 이산화 탄소의 농도를 높게 하고 온도를 35~38 ℃에 가까이하면 광합성량이 최대가 된다.

## 1 교육청 영재교육원, 영재학급 면접 평가 (2학년)

융합

1. 동물이나 사물을 본 떠 만든 물건이 많다. 비행기는 새를 본 떠 만들었다.

① 전신 수영복은 무엇을 본 떠 만들었는지 쓰시오.

> [답안 작성]

② 잠자리를 본 떠 만든 것은 무엇인지 쓰시오.

> [답안 작성]

③ 벨크로(찍찍이)는 무엇을 본 떠 만든 것은 무엇인지 쓰시오.

> [답안 작성]

[예시답안]
① 전신 수영복은 상어의 비늘을 본 떠 만들었다.
② 잠자리 날개의 펄럭임을 본 떠 비행 로봇을 만들었다.
③ 벨크로는 도꼬마리 열매를 본 떠 만들었다.

[해설] 상어의 비늘을 확대해 보면 작은 갈비뼈 모양으로 홈이 파여 있다. 물체의 표면에 미세한 홈을 달면 표면 마찰로 인한 저항을 줄일 수 있어 빠르게 수영할 수 있다.

전신 수영복 표면
상어비늘

▲ 잠자리 로봇

▲ 도꼬마리 열매

2. 만약 추운 북극지방에서 코끼리가 살아왔다면 어떤 모습일지 이유와 함께 5가지 쓰시오.

[답안 작성]

[예시답안]
• 추위를 견디기 위해 여러 겹의 털이 자랐을 것이다.
• 추위를 견디기 위해 몸에 두꺼운 지방층이 생겨 몸집이 지금보다 더 컸을 것이다.
• 체온이 빠져나가지 않도록 표면적을 줄이기 위해 귀의 크기가 작고, 꼬리도 짧았을 것이다.
• 먹이가 부족하여 낙타처럼 지방 덩어리를 혹으로 모아놓았을 것이다.
• 발은 펭귄처럼 원더네트(열교환 구조)나 혈액을 많이 흐르는 구조로 발이 얼지 않았을 것이다.
• 보호색으로 몸에 난 털이 하얀색이었을 것이다.
• 열이 빠져나가는 것을 막기 위해 몸이 둥글둥글해졌을 것이다.
• 추위를 이기기 위해 무리 지어 생활했을 것이다.

[해설] 추운 북극지방에서 코끼리가 살았다면 매머드와 비슷하게 모습이 변해 추위를 이겨냈을 것이다. 몸의 표면적을 줄여 체온을 유지하고, 발이 얼지 않는 구조로 환경에 적응했을 것이다.

## ② 교육청 영재교육원, 영재학급 면접 평가 (3, 4학년)

**수학**

1. 20개의 상자에 각각 20개의 금반지가 들어 있다. 금반지 1개의 무게는 10 g이고 각 상자에는 모두 200 g의 금반지가 있다. 그러나 20개의 상자 중 1개에는 가짜 금반지가 있다. 가짜 금반지 1개의 무게는 9 g이고, 20개의 무게는 180 g이다. 전자저울을 한 번만 사용하여 가짜 금반지가 들어 있는 상자를 찾는 방법을 쓰시오.

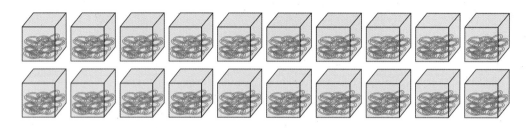

[답안 작성]

[모범답안] 각 상자에 1, 2, 3, …, 20까지 번호를 정하고, 1번 상자에서 금반지 1개, 2번 상자에서 금반지 2개, …, 20번 상자에서 금반지 20개를 꺼내어 무게를 전자저울로 측정한다.
만약 모든 금반지가 진짜라면 그 무게는 $(1 + 2 + 3 + \cdots + 20) \times 10\,g = 210 \times 10\,g = 2100\,g$일 것이다.
이 무게와 측정한 무게 사이의 차를 이용해 어느 상자에 가짜 금반지가 들어 있는지 알 수 있다.
만약 측정한 무게가 2097 g이라면 2100 g – 2097 g = 3 g이므로 3번 상자에 가짜 금반지가 들어 있다.

[해설] 각 상자에 번호를 정하고, 그 번호만큼의 반지를 꺼내어 무게를 측정한다.

2. ㉠~㉤ 5대의 차가 경주를 하고 있다. 5대의 차 중 ㉠, ㉢, ㉤은 빨간색이고 ㉡, ㉣은 파란색이다. 처음 5대의 순위는 ㉠-㉡-㉢-㉣-㉤이고, (가)부터 (마)까지 변화가 차례로 일어났다. 각 단계별로 차량의 순위를 쓰시오. (단, 추월은 바로 앞에 달리고 있는 차 1대만을 할 수 있다.)

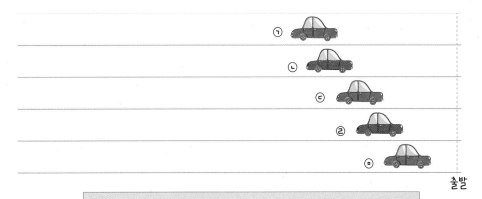

출발

(가) ㉣이 ㉢을 추월했다.

(나) 파란색 차가 파란색 차 1대를 추월했다.

(다) 파란색 차가 빨간색 차 1대를 추월했다.

(라) 빨간색 차가 빨간색 차 1대를 추월했다.

(마) 빨간색 차 2대가 파란색 차 2대를 추월했다.

[답안 작성]

[모범답안]
• 처음 : ㉠ 빨간색 차 - ㉡ 파란색 차 - ㉢ 빨간색 차 - ㉣ 파란색 차 - ㉤ 빨간색 차
• (가) : ㉠ 빨간색 차 - ㉡ 파란색 차 - ㉣ 파란색 차 - ㉢ 빨간색 차 - ㉤ 빨간색 차
• (나) : ㉠ 빨간색 차 - ㉣ 파란색 차 - ㉡ 파란색 차 - ㉢ 빨간색 차 - ㉤ 빨간색 차
• (다) : ㉣ 파란색 차 - ㉠ 빨간색 차 - ㉡ 파란색 차 - ㉢ 빨간색 차 - ㉤ 빨간색 차
• (라) : ㉣ 파란색 차 - ㉠ 빨간색 차 - ㉡ 파란색 차 - ㉤ 빨간색 차 - ㉢ 빨간색 차
• (마) : ㉠ 빨간색 차 - ㉣ 파란색 차 - ㉤ 빨간색 차 - ㉡ 파란색 차 - ㉢ 빨간색 차

[해설] 추월은 바로 앞에 달리고 있는 차 1대만 할 수 있으므로 (가)부터 (라)까지 각 단계별로 추월이 가능한 차량을 찾아 5대의 차량 순위를 변경한다.

1. 우주인이 되어 달에서 생활해야 한다면 어떠한 기능을 갖춘 우주복을 입어야 할지 달의 환경을 고려하여 7가지 쓰시오.

[답안 작성]

[모범답안]
- 온도를 일정하게 유지해 주는 장치
- 산소를 공급하는 장치
- 기압을 일정하게 유지해 주는 장치
- 헬멧을 썼을 때 외부와 통신할 수 있는 장치
- 식수를 공급할 수 있는 장치
- 움직일 때 힘들지 않도록 관절 부분에 주름이 많은 우주복
- 쉽게 찢어지지 않는 소재로 만든 우주복

[해설] 달은 지구와 달리 대기압이 작용하지 않고 산소가 없으며 태양열에 의한 극고온과 극저온의 환경이 반복되는 공간이다. 또한, 빠른 속도로 날아다니는 우주먼지와 각종 전자파 및 방사능 등이 우주인을 위협하고 있다. 따라서 달에서 입는 우주복에는 우리 몸을 보호 할 수 있는 최첨단 장치가 있어야 한다.

2. 아래 사진에서 한 개의 식물을 골라 식물의 생김새나 특징을 쓰고 생활 속에서 그 식물의 특징을 이용하는 예를 쓰시오.

▲ 연잎

▲ 도깨비바늘 씨앗

▲ 단풍나무 씨앗

▲ 부레옥잠

[답안 작성]

[예시답안]
- 연잎 : 물방울이 맺히지 않고 동그랗게 뭉친다. 벽, 자동차, 운동화, 기능성 의류 표면에 연잎처럼 물이 맺히지 않고 흘러내리도록 하면 젖지 않고 항상 깨끗한 상태를 유지할 수 있다.
- 도깨비바늘 씨앗 : 씨 끝부분에 가시 같이 짧고 날카로운 바늘이 사방을 향해 벌어져 있어 옷이나 털에 박혀 잘 빠지지 않는다. 도깨비바늘 씨앗을 본 떠 낚싯바늘이나 작살을 만든다.
- 단풍나무 씨앗 : 씨앗 양쪽에 날개가 있어 바람에 잘 날린다. 단풍나무 씨앗의 날개를 본 떠 헬리콥터 프로펠러를 만든다.
- 부레옥잠 : 아랫부분에 공기 들어 있는 공기주머니가 있어 물에 잘 뜬다. 튜브나 부표 등이 공기주머니를 이용한다.

[해설] 자연에서 볼 수 있는 디자인적 요소들이나 생물체가 가진 다양한 특성이나 기능을 모방하여 이용하는 것을 생체모방공학이라고 한다. 현재의 생체모방공학은 생체구조를 모방하여 새로운 물질과 물체를 만들고, 새로운 공학 시스템을 디자인하는 데 많은 도움을 주고 있다. 생체모방공학이 학문으로 정리된 것은 최근이지만 그 역사는 매우 오래되었다. 원시시대에 사용했던 칼과 화살촉 등의 사냥 무기들은 짐승의 날카로운 발톱을 본떠 만들었다. 아주 옛날부터 다른 생물의 생활과 자연을 관찰하면서 필요에 맞는 지식을 얻어 적용함으로써 생체모방을 하고 있었다.

수학

1. 아래 그림과 같이 크기가 같은 정사각형 2개와 직각삼각형 2개가 있다. 이 도형들을 모두 이용하여 각 도형의 변끼리 붙여서 만들 수 있는 새로운 도형을 10개 그리시오. (단, 돌리거나 뒤집어서 모양이 같으면 같은 도형으로 인정한다.)

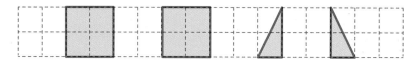

[예시답안]

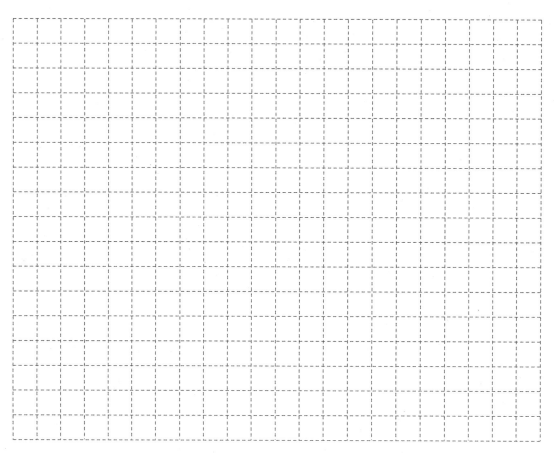

2. 다음과 같이 모퉁이에 사분원의 크기가 모두 같은 정사각형 모양의 타일이 30개 있다. 이 타일들을 배열하여 하나의 직사각형을 만들었을 때, 다음 〈조건 1〉~〈조건 2〉를 만족하는 모양을 완성하고, 타일의 배열 상태와 각 정사각형의 모퉁이에서 만들어지는 원의 개수가 왜 그렇게 나타나는지 이유를 쓰시오.

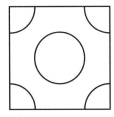

〈조건 1〉 타일을 배열하여 직사각형을 만들 때 남는 타일이 없어야 한다.

〈조건 2〉 배열 상태가 달라도 만들어지는 원의 개수가 같으면 같은 것으로 인정한다.

[답안 작성]

[모범답안]

| 배열 상태 | 2×15 | 3×10 | 5×6 |
|---|---|---|---|
| 원의 개수 | 14개 | 18개 | 20개 |

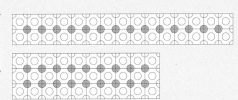

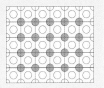

배열 상태에 따라 나타나는 원의 개수는 배열된 타일의 가로와 세로의 개수에서 각각 1을 뺀 것을 곱한 것과 같다. 4개의 타일이 모여야 모퉁이에서 1개의 원이 만들어지고, 여기에 가로 또는 세로로 2개의 타일이 더해지면 모퉁이에서 원이 1개씩 늘어나기 때문이다.

1. 다음은 국립공원 대피소 이용 안내에 대한 내용이다.

> 산악 대피소는 악천후를 만나거나 몸이 아파 산행을 진행하기 힘들 때 대피하는 장소이다.
>
> • 대피소는 고산지대에 위치하여 물 공급이 원활하지 않고, 근처의 샘에서 나오는 지하수는 식수 공급과 자연 보호를 위해 세면, 양치질, 설거지 등을 제한한다.
> • 쓰레기는 되가져가야 하므로 비닐봉지를 준비하고 쓰레기가 많이 발생하지 않는 음식물을 준비해야 한다.
> • 여름철에는 우의나 우산을 준비하며, 겨울철에는 꼭 방한 장비를 준비해야 한다.
> • 안전사고에 대비해 야간 조명등을 준비해야 한다.

안전을 담당하는 공학자로서 새로운 산악 대피소를 설계하려고 한다. 산악 대피소를 만들기 위한 설계 요건을 5가지 쓰시오.

[답안 작성]

[예시답안]
• 에너지 문제 해결 : 태양에너지를 이용한 발전기를 설치하여 야간에 조명을 켜고, 겨울철에 난방을 할 수 있도록 한다.
• 식수 문제 해결 : 빗물 정화 장치를 설치하여 빗물을 식수로 활용할 수 있도록 한다.
• 폐기물 문제 해결 : 음식물 쓰레기 등의 폐기물 처리를 위한 시설을 만들어 환경 오염을 막을 수 있도록 한다.
• 시설의 규모 문제 해결 : 바람, 눈 등의 악천후에 대한 시설의 안전성을 고려하여 그 규모를 정하도록 한다.
• 생태계 문제 해결 : 생태계에 영향을 덜 주기 위해 고산지대의 나무와 친환경 소재를 사용하도록 한다.
• 조난자 구조 문제 해결 : 조난자의 구조가 쉬울 수 있도록 접근이 가능한 장소에 설치하도록 한다.

[해설] 대피소는 비상시에 대피할 수 있도록 만들어 놓은 곳으로 취사 시설, 연료, 침상과 같은 편의시설이 없으며, 간단한 구조의 가막사 형태를 지닌 구조물이다. 북한산 대피소나 한라산의 진달래 대피소가 이런 형태의 구조물이라 할 수 있다. 대피소는 인적이 드물고 위험성이 높은 지형에 설치되어 비상시에 이용할 수 있도록 만들어야 하지만 몇몇 대피소는 이런 조건이 무시된 채 위치 선정이 잘못되어 대피처의 기능을 제대로 못 한다. 또한, 현재 우리나라 국립공원의 대피소들은 본래의 취지와는 달리 산장처럼 운영되는 곳이 많다.

2. 그림은 육식동물과 초식동물의 소화관을 나타낸 것이다. 육식동물과 초식동물의 소화관 전체 길이, 작은창자의 길이, 큰창자의 길이를 비교하고, 그 이유를 과학적으로 4가지 쓰시오.

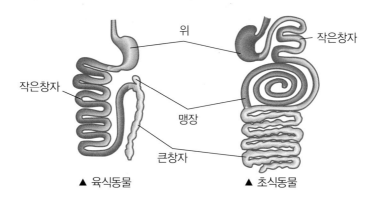

▲ 육식동물　　　　　▲ 초식동물

[답안 작성]

[모범답안]
• 육식동물은 초식동물보다 작은창자가 길고, 큰창자는 짧고 반듯하다. 소화관 전체 길이는 짧다.
• 초식동물은 육식동물보다 큰창자가 길고 특히 맹장이 발달했다. 소화관 전체 길이는 육식동물보다 길다.
• 초식동물의 먹이인 풀은 소화가 잘 되지 않아 분해하는 데 오랜 시간이 걸리므로 소화기관 안에 음식물을 오래 두기 위해 소화관 전체 길이가 길다. 반면, 육식동물의 먹이인 고기는 쉽게 분해되기 때문에 소화관 전체 길이가 길지 않아도 된다.
• 육식동물은 고기를 부수지 않고 그대로 삼키므로 이를 분해하기 위해 상대적으로 작은창자가 큰창자보다 길다.
• 맹장에는 식물의 섬유질 소화를 도와주는 미생물이 살고 있으므로 초식동물의 경우 맹장이 매우 발달해 있고 길다.
• 고기는 오랜 시간 동안 소화기관에 머물면 체내에서 부패하기 쉽고 독소가 생산되어 간과 신장에 부담을 주기 때문에 소화가 덜 된 고기 찌꺼기 등을 신속하게 체외로 내보내야 하므로 육식동물의 큰창자는 짧다.
• 초식동물은 일반적으로 많은 양의 먹이를 먹기 때문에 이를 소화하기 위해 소화관이 육식동물보다 길다.

[해설] 육식동물의 경우 내장의 길이는 코끝부터 등뼈 끝까지의 길이의 3배 정도 되고, 초식동물의 내장은 몸길이의 12~20배 정도 된다. 초식동물은 물과 전해질, 비타민의 흡수와 함께 식물섬유를 발효하기 위해 큰창자가 발달했기 때문이다. 토끼 등의 일부 초식동물은 맹장이 소화관의 40%를 차지한다.

**수학**

1. 왼쪽 표는 734×38＝27892를 계산한 결과이다. 왼쪽 표의 계산방법을 설명하고, 오른쪽 곱셈식을 완성하시오.

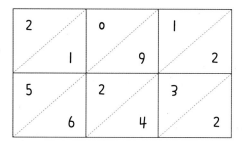

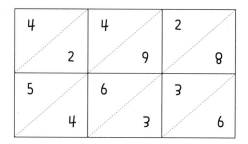

734 × 38 = 27892

☐ × ☐ = ☐

[답안 작성]

[모범답안]

7, 3, 4, 3, 8을 순서대로 쓰고,
각 칸의 가로, 세로에 해당하는 수를 곱한 결과를 격자에 한 자리씩 쓴다.

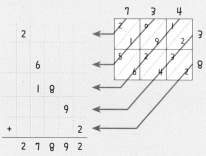

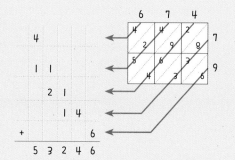

각 칸에 쓴 수를 화살표 방향으로 더한다.
더한 값인 2, 6, 18, 9, 2는 각각 만의 자리, 천의 자리,
백의 자리, 십의 자리, 일의 자리가 된다. 자릿값에
맞게 수를 더하면 27892가 된다.

〈곱셈식〉 674×79＝53246

[해설] 복잡한 곱셈식의 수를 격자에 차례대로 써서 쉽고 빠르
게 계산할 수 있는 방법을 격자 곱셈법이라고 한다.

2. 여섯 명의 사람이 서로의 정보를 공유하려고 한다. 두 사람이 통화할 때 상대방에게 자신의 정보와 앞서 통화한 다른 사람의 정보를 함께 전달한다고 할 때 여섯 명이 정보를 공유하려면 최소 5번 통화를 해야 한다. 이때 가능한 모형을 모두 그림으로 나타내시오. (단, 사람의 순서는 생각하지 않으며, ⬚ 와 같이 닫혀있는 형태는 제외한다. 회전, 대칭하여 모양이 동일하면 같은 모형이다.)

---

[예시]

· ◯ : 사람, ◯—◯ : 두 사람이 서로의 정보를 교환

· 세 명이 최소 2번의 통화로 정보를 공유하는 경우의 모형 : ◯—◯—◯

· 네 명이 최소 4번의 통화로 정보를 공유하는 모형 : ◯—◯—◯—◯

[주의] 회전, 대칭하여 동일하면 같은 모형이다.

또한 ◯—◯—◯—◯ 는 같은 모형이다.

---

[답안 작성]

---

[모범답안]

1. 다음은 영희 일기의 일부이다. 물음에 답하시오.

> 시골에서 할머니가 잎이 달린 당근을 보내주셨다.
> 할머니의 정성이 들어 있어서 오랫동안 신선하게 보관해서 먹고
> 싶은데... 어떤 방법이 있을까?

당근을 오랫동안 신선하게 보관하는 방법을 네 가지를 쓰고, 과학적인 원리를 쓰시오.

[답안 작성]

[모범답안]
- 냉장고에 보관한다. : 곰팡이가 자라지 못하도록 온도를 낮추어 썩지 않게 한다.
- 잎을 제거한다. : 뿌리에 저장된 양분이 잎으로 이동하므로 잎을 제거하여 뿌리가 시들거나 썩지 않게 한다.
- 비닐 등으로 감싼다. : 수분이 날아가 마르지 않도록 한다.
- 과일과 함께 보관하지 않는다. : 사과나 바나나에서 나오는 에틸렌 가스가 식물의 노화를 촉진하기 때문이다.

[해설] 당근이나 무와 같은 뿌리채소는 흙이 묻은 상태로 살짝 흙만 턴 후 뿌리를 절단하지 않고 보관하는 것이 좋다. 채소는 수분이 증발하면 금방 시들기 때문에 신문지나 키친 타올에 물을 살짝 적셔 채소를 감싸 팩에 넣은 후 온도가 낮은 냉장고에 두면 보름 정도 보관이 가능하다.

2. 영재는 등산로가 잘 정비되지 않은 산으로 등산을 갔다가 길을 잃었다. 당황했지만 마음을 진정시키고 자신의 상황을 곰곰이 생각해 보았다.

> • 주위를 둘러보니 인기척이 느껴지지 않았다.
> • 휴대전화 배터리가 모두 방전되어 휴대전화를 사용할 수 없었다.
> • 손목에 바늘 손목시계를 착용하고 있었다.

영재가 이런 상황에서 산의 남쪽에 형성된 마을을 찾아가는 방법을 5가지 쓰시오.

[답안 작성]

[모범답안]
• 밤이라면 북극성이나 북두칠성이 있는 방향이 북쪽이다.
• 낮이라면 그림자의 위치 변화를 관찰한다. 그림자는 북쪽을 향하며 그림자는 서쪽에서 동쪽으로 이동한다.
• 낮이고 바늘 손목시계가 있다면 바늘로 방향을 찾는다. 시침이 태양을 향하게 하면 시침과 시계의 12시 방향이 이루는 각을 이등분하는 선이 남쪽을 가리킨다. (나뭇가지를 바닥에 수직으로 꽂고 시침이 그림자가 시작되는 부분을 향하도록 시침과 그림자를 일치시킨다. 이때 시침과 시계의 12시 방향이 이루는 각을 이등분하는 선이 남쪽이다.)
• 잘린 나무가 있다면 나무의 나이테를 관찰한다. 일조량이 적으면 나무의 성장이 느리므로 나이테의 간격이 좁은 방향이 북쪽이고, 넓은 방향이 남쪽이다.
• 나뭇가지나 나뭇잎은 일조량이 많은 곳에 많으므로 가지가 많이 뻗어 있거나 잎이 상대적으로 많이 달린 쪽이 남쪽이다.
• 이끼는 그늘지고 습한 곳에 서식하므로 이끼가 많이 있는 쪽이 해가 잘 들지 않는 북쪽이다.
• 봄이라면 북쪽 산 사면에는 진달래가, 남쪽 산 사면에는 철쭉이 주로 서식한다.

[해설] 산 인근 민가는 겨울철에 일조량이 많고, 산바람을 막아 보온성을 높이기 위해 남향으로 집을 짓는다. 따라서 민가의 창문이 향하는 곳이 남쪽이다.

**5** 교육청 영재교육원, 영재학급 면접 평가 (인성)

1. 쉬는 시간, 교실에서 친구들과 어울리지 못하는 친구를 도울 수 있는 방법을 이야기하시오.

[답안 작성]

[해설] 인성 면접 문제이다. 영재원에서는 대부분 팀으로 탐구하므로 갈등 해소 능력, 겉도는 친구를 포용하는 마음, 다른 사람의 감정을 공감하는 능력 등을 확인하는 질문이 많이 나온다. 미리 적절한 답안을 생각해 보는 것이 좋다.

2. 돌을 운반하여 돈을 버는 아프리카 아이들을 도와줄 수 있는 방법을 이야기하시오.

[답안 작성]

[예시답안]
• 여러 구호단체의 모금 활동, 기부, 후원을 통해 돕는다.
• 아프리카 어린이를 위해 편지를 쓴다.
• 아프리카의 상황을 주변 사람들에게 알린다.

[해설] 어른이 되어서 돈을 벌어서 도와주겠다는 생각보다 지금 내가 할 수 있는 작은 도움을 생각해보는 것이 좋다.

3. 조별 과제를 진행하는데 한 친구가 참여하지 않고 있다면 어떻게 할 것인지 이야기하시오.

> [답안 작성]

[해설] 인성 면접의 경우에 영재원에서는 대부분 팀으로 탐구하므로 갈등 해소 능력, 겉도는 친구를 포용하는 마음, 다른 사람의 감정을 공감하는 능력 등을 확인하는 질문이 많다. 평상시 다른 사람을 배려하는 훈련, 나와 다른 점을 수용하는 마음 등을 길러 왔다면 충분히 답할 수 있다.

4. 실험실에서 우리 조만 다른 조와 다른 결과가 나왔다면 어떻게 할 것인지 이야기하시오.

> [답안 작성]

[해설] 실험 결과는 가설에 맞게 변인 통제를 잘해야 옳은 결과를 얻을 수 있다. 우리 조만 다른 조와 다른 결과가 나왔다면 가설에 맞게 변인 통제가 잘 되었는지 확인해야 한다. 만약 변인 통제를 잘못하여 다른 조와 실험 결과가 다를 때는 다시 실험을 할 수 있는 시간과 여건이 된다면 변인 통제를 제대로 해서 실험을 하고, 다시 실험을 할 수 있는 시간과 여건이 되지 않는다면 변인 통제에서 실수한 부분으로 인한 실험 결과에 대한 실험 보고서를 작성한다.

5. 다음 글을 읽고 질문에 답하시오.

> 민수네 학급은 미술 시간에 협동화 그리기를 했습니다. 그러나 민수는 자기가 맡은 그림에 색칠도 안 하고 놀기만 했습니다. 끝날 시간이 되자 모둠 아이들은 마음이 급한 나머지 민수의 그림까지 함께 색칠해서 냈습니다. 선생님은 민수네 모둠의 협동화가 가장 멋있다고 칭찬을 해 주시며 모둠원 전체에게 스티커를 한 장씩 주셨습니다. 모둠원들은 민수가 협동화 그리기는 하지 않고 장난만 치고 스티커를 받았다는 사실을 선생님께 말씀드려야 할지 고민했습니다.

모둠원들이 민수의 행동을 선생님께 말씀드려야 할지 말지에 대한 자신의 입장을 정하여 이야기하시오.

[답안 작성]

[해설] 모둠 활동에서 자주 발생할 수 있는 상황이다. 모둠 활동에서 주로 1명이 주도적으로 하고 1~2명이 참여를 하지 않는 경우가 발생하기도 한다. 협동화나 조별 과제 등을 해결할 때 참여하지 않는 친구가 생기면 대부분 한두 번 이야기 하고 그래도 참여하지 않으면 선생님께 말씀드린다. 그러나 이번 상황은 민수에게 색칠하라고 이야기하는 사람도 없었고, 선생님께 말씀드리지도 않은 상황에서 민수를 빼고 협동화를 마무리했다. 모둠원들이 민수의 행동을 선생님께 말씀드린다면 모둠원들이 민수와 협동하려고 노력하지 않는 부분에서 모둠원들에게 준 스티커를 모두 회수할 수 있다. 또한, 선생님께 민수의 행동을 말씀드린다고 해서 민수가 다음부터 협동할 확률은 알 수 없다. 가장 중요한 핵심은 민수가 왜 협동하지 않았는지에 대해 모둠원들이 고민 없이 민수를 무시한 부분이다. 따라서 선생님께 말씀드리는 부분보다는 민수와 협동하기 위해 어떻게 해야 하는 것이 좋을지에 대한 해결 방안을 이야기하는 것이 좋다.

6. 다음 글을 읽고 질문에 답하시오.

> 어느 초등학교에서 '꼴찌 없는 운동회'가 열려 많은 사람의 관심을 모았습니다.
> 이 학교에는 선천적으로 장애가 있는 학생이 있는데 운동회 달리기 때마다 항상 꼴찌로 들어왔습니다. 하지만 이날만큼은 먼저 달려가던 5명의 친구가 장애 친구에게 다가가 손을 잡고, 함께 결승선을 통과하여 1등 도장을 받았습니다. 이것은 미리 계획된 것으로 항상 꼴찌를 한 이 학생에게 선생님과 친구들이 준 초등학교에서의 마지막 운동회 선물이었습니다.

위 초등학교 학생들의 행동에서 본받을 점을 2가지 이야기하시오.

[답안 작성]

[해설] 장애가 있는 학생을 배려한 친구들의 깜짝 선물은 많은 사람에게 감동을 줬다. 많은 학생은 '나도 장애가 있는 친구를 배려하겠다.', '우리 주변에 도움이 필요한 친구가 있으면 도와주겠다.'와 같은 생각을 하고 이야기를 할 수 있다. 그러나 이런 이야기는 진정성이 없는 답변이라고 할 수 있다. 누구나 알고 있는 내용이지만 실천하는 사람은 많지 않다. 따라서 현재 내 주변에 있는 친구 중 도움이 필요한 친구가 있으면 글에 나온 친구들처럼 구체적으로 어떻게 도움을 줄지 아이디어와 함께 답변하는 것이 좋다. 꼭 신체적인 장애가 있는 친구가 아니더라도 정신적 장애가 있는 친구, 전학 온 학생이라서 도움을 필요한 친구 등이 있으니 예를 들어 이야기하면 좋을 것이다. 또한 면접관은 합격시켜 함께 수업하고 싶은 학생에게 좋은 점수를 준다는 것을 꼭 기억하고 예상 답변을 생각하는 것이 좋다.

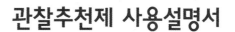

관찰추천제 사용설명서

영재교육원 영재학급 관찰추천제 대비

안쌤의
「창의적 문제 해결력」 수학 과학 공통

# 모의고사

### 1) 모의고사[4회]

- 최근 시행된 전국 관찰추천제 **기출 완벽 분석 및 반영**
- 서울권 창의적 문제해결력 **평가 대비**
- 영재성검사, 학문적성검사, **창의적 문제해결력 검사 대비**

### 2) 평가 가이드 및 부록

- 영역별 점수에 따른 **학습 방향 제시와 차별화된
  평가 가이드 수록**
- 창의적 문제해결력 평가와 면접 기출유형 및
  예시답안이 포함된 **관찰추천제 사용설명서 수록**

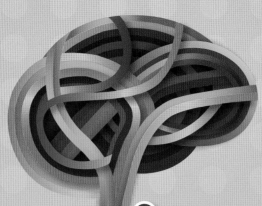

안쌤의
「창의적 문제 해결력」

# 모의고사 14 문항 구성

전국 영재교육 대상자 선발
관찰추천제 유형에 따른 맞춤형 문항 구성!!

| | 문항 구성 | 창의적 문제해결력 평가 | 영재성검사 | 학문적성검사 | 창의적 문제해결력 검사 | 창의 탐구력 검사 |
|---|---|---|---|---|---|---|
| 수학 | 사고력 4문항 | ● | ● | ● | ● | |
| | 창의성 2문항 | ● | ● | | ● | ● |
| | STEAM 1문항 | ● | ● | ● | ● | ● |
| 과학 | 사고력 4문항 | ● | ● | ● | ● | |
| | 창의성 2문항 | ● | ● | | ● | ● |
| | STEAM 1문항 | ● | ● | ● | ● | ● |

# 안쌤의 창의적 문제해결력 시리즈

## 초등 1~2 학년

## 초등 3~4 학년

## 초등 5~6 학년

## 중등 1~2 학년

# 안쌤의 줄기과학 시리즈

새 교육과정
3~4학년
학기별
STEAM 과학

3-1 **8강**  3-2 **8강**

4-1 **8강**  4-2 **8강**

새 교육과정
5~6학년
학기별
STEAM 과학

5-1 **8강**  5-2 **8강**

6-1 **8강**  6-2 **8강**

새 교육과정
중등 영역별
STEAM 과학

물리학 **24강**  화학 **16강**  생명과학 **16강**  지구과학 **16강**

물리학 워크북  화학 워크북